ALMA FERIDA, ALMA CURADA

PE. REGINALDO MANZOTTI

AUTOR BEST-SELLER COM MAIS DE 6,8 MILHÕES DE EXEMPLARES VENDIDOS.

ALMA FERIDA, ALMA CURADA

OS CAMINHOS DA FÉ PARA VENCER OS PROBLEMAS

petra

Copyright © 2024 by Pe. Reginaldo Manzotti

Direitos de edição da obra em língua portuguesa no Brasil adquiridos pela Petra Editorial Ltda. Todos os direitos reservados. Nenhuma parte desta obra pode ser apropriada e estocada em sistema de banco de dados ou processo similar, em qualquer forma ou meio, seja eletrônico, de fotocópia, gravação etc., sem a permissão do detentor do copirraite.

PETRA EDITORA
Av. Rio Branco, 115 – Salas 1201 a 1205 – Centro – 20040-004
Rio de Janeiro — RJ — Brasil
Tel.: (21) 3882-8200

NIHIL OBSTAT
Pe. Fabiano Dias Pinto
Censor arquidiocesano

IMPRIMATUR
† Dom José Antônio Peruzzo
Arcebispo Metropolitano de Curitiba
Curitiba, 24 de outubro de 2023.

Dados Internacionais de Catalogação na Publicação (CIP)

M296a	Manzotti, Pe. Reginaldo
	Alma ferida, alma curada: os caminhos da fé para vencer os problemas / Pe. Reginaldo Manzotti. – Rio de Janeiro: Petra, 2024.
	176 p.; 15,5 x 23 cm
	ISBN: 978-65-88444-31-3
	1. Princípios e valores – cristianismo. I. Título.
	CDD: 233
	CDU: 2-184

André Queiroz – CRB-4/2242

Conheça outros livros da editora:

SUMÁRIO

INTRODUÇÃO
7

1
CURA DA PERDA DO SENTIDO DA VIDA
11

2
CURA DOS TRAUMAS EMOCIONAIS
23

3
CURA DO SENTIMENTO DE ABANDONO
35

4
CURA DA CULPA DESORDENADA
45

5
CURA DA DEPRESSÃO
57

6
CURA DAS FERIDAS DA VIDA CONJUGAL
75

7
CURA DOS CONFLITOS ENTRE PAIS E FILHOS
93

8
CURA DO INDIVIDUALISMO E DO ISOLAMENTO SOCIAL
111

9
CURA INTERIOR
127

10
CURA DA VISÃO DISTORCIDA DA RELAÇÃO COM DEUS
137

11
VALORES CURATIVOS DE JESUS
155

CONCLUSÃO
173

PARA LER, REZAR E CANTAR

Filhos e filhas,

Vocês estão preparados para ter uma experiência diferente? Para, com este livro em mãos, levar seu diálogo com Deus a um novo patamar? Afinal, assim como o Senhor quer curar a nossa vida por inteiro — nosso corpo e nossa alma —, também nós podemos usar tudo o que temos, todos os nossos sentidos, para louvá-Lo, bendizê-Lo, desagravá-Lo...

Por isso, desejo que sua experiência de leitura, a partir de agora, não se resuma a estas páginas. Desejo que esta obra seja apenas parte de uma grande intimidade com Deus que vá além do sentido da visão que empregamos ao ler um livro.

Vocês notarão que as orações ao final de cada capítulo vêm acompanhadas de um QR Code. Ao apontar para ele a câmera do seu celular, vocês poderão rezá-las junto comigo, onde quer que estejam. Mas não é só: preparei ainda uma seleção de músicas minhas que estão perfeitamente alinhadas com a proposta que trago neste *Alma ferida, alma curada*. Esta *playlist* trará um repertório musical escolhido com muito carinho para meus leitores. A forma de acessá-la é a mesma: basta usar a câmera do telefone para ler o código abaixo.

Vamos juntos nesta grande experiência de fé?

INTRODUÇÃO

Você se sente triste, angustiado ou sem esperança? Tem alguma dor na alma que impede você de viver plenamente, como se fosse um grande peso no peito que o impede até mesmo de conseguir respirar?

Se a sua resposta for "sim", quero lhe dizer que você não está só e que este livro será de grande ajuda.

Podemos hoje afirmar que o mundo está doente — e não estou me referindo às enfermidades do corpo, mas aos males relacionados à saúde mental. Nunca na história da humanidade estivemos às voltas com tantos casos de depressão e ansiedade. São feridas profundas que nos impedem de viver mais levemente.

A Organização Mundial de Saúde (OMS) define "saúde" como um estado de completo bem-estar físico, mental e social, e não somente como uma ausência de enfermidades. De fato, muitos preservam a integridade do corpo, mas adoecem mental e espiritualmente.

Nesse contexto, é importante ressaltar que não devemos esperar o esgotamento total para buscarmos ajuda. Insisto nisso porque contamos com Jesus Cristo, que passou pelo mundo fazendo o bem e nos curando (cf. At 10, 38).

Só que Ele ainda quer e pode curar as dores da nossa alma!

Os profissionais de saúde também podem ajudar, é claro. Vejo os médicos como vocacionados, e, sempre que estou diante de um deles, faço questão de cumprimentá-lo pela sua missão. São seres humanos notáveis, que se dedicam a salvar vidas. Por isso merecem todo o nosso respeito e gratidão, pois são instrumentos de Deus para nos trazer saúde e esperança.

Mas não basta cuidar apenas dos sintomas físicos. Para curar o ser humano como um todo, é preciso considerar todas as suas dimensões: biológica, psicológica, social e espiritual. E, para isso, nós temos Jesus Cristo!

As dores da alma são aquelas que afetam o nosso interior, a nossa mente, as nossas emoções, a nossa vontade e o nosso relacionamento com Deus e com os outros. Elas podem ser causadas por traumas, rejeições, abusos, decepções, culpas, medos, mágoas e outros sentimentos negativos que nos deixam feridos e machucados. Essas feridas nos impedem de viver uma vida plena e abundante, conforme o propósito de Deus para nós.

A alma ferida é aquela que conserva lembranças amargas. Muitas pessoas estão enredadas em reminiscências que as machucam e causam dor. Talvez eu esteja interagindo neste exato momento com alguém que sofreu algum tipo de abandono, rejeição, até abusos. Existem pessoas que carregam em sua alma a marca da violação sexual, da traição conjugal, do desprezo familiar, entre outros. Essas pessoas precisam de cura, precisam de libertação, precisam de restauração.

Mas há uma boa notícia: Jesus é o Médico dos médicos, Aquele que cura a nossa alma. Ele pode restaurar a alegria perdida e transformar o choro em riso. Veio para nos libertar de todo mal e nos dar vida em abundância. Ele disse: "O Espírito do Senhor está sobre mim, porque ele me ungiu para pregar boas-novas aos pobres. Ele me enviou para proclamar liberdade aos presos e a recuperação da vista aos cegos, para libertar os oprimidos e proclamar o ano da graça do Senhor" (Lc 4, 18-19).

Jesus tem poder para curar todas as nossas feridas. Basta nos entregarmos a Ele, confiarmos no Seu amor, seguirmos os seus preceitos.

Neste livro-guia, vamos explorar de que modo Jesus pode nos tocar e curar, quais são os passos para receber essa cura e como preservar a nossa saúde emocional e espiritual. Espero em Deus que você possa experimentar essa cura que Jesus quer nos oferecer.

{1}
CURA DA PERDA DO SENTIDO DA VIDA

Ao longo da vida, todos enfrentamos situações desafiadoras, frustrações e adversidades. Elas causam dores, sofrimentos e até traumas. Muitas vezes, essas provações começam ainda na infância, e podemos carregar sequelas pela vida toda.

É importante entender que, se o passado é algo que não podemos mudar, não devemos permitir que ele sabote nosso futuro. Para isso é preciso "pegar o touro pelo chifre", isto é, encarar o passado, porém com o olhar do presente.

Não adianta fazer de conta que o ocorrido em questão não nos machucou; afinal, trazemos em nós as marcas das feridas. Por outro lado, não podemos ignorar que *não* somos mais aquela pessoa vitimada por algo terrível, pois o tempo passou e a vida seguiu seu curso. A ignorância é um tipo de insanidade, e, não por acaso, os problemas mal resolvidos afetam nossa saúde mental.

Para superar e curar os sofrimentos da alma é preciso ressignificá-los, ou seja, dar um novo sentido aos acontecimentos negativos que nos marcaram. Sem isso, corremos o risco de perder o sentido da vida e ser tomados pelo sentimento de desesperança, que é uma porta escancarada para a proliferação de problemas emocionais, para a dependência de substâncias químicas e para os aterradores pensamentos suicidas. É desconcertante ler que no Brasil, entre 2006 e 2015, houve, segundo um amplo estudo, um aumento de 24% nos casos de suicídio entre adolescentes e jovens de dez a 19 anos, com maior frequência entre jovens do sexo masculino.

É ingenuidade acreditar que determinadas enfermidades, por não serem de natureza física, constituem sinais de fraqueza de caráter. Lembremos que, quando Jesus estava para ser crucificado, Ele confidenciou: "Minha alma está numa agonia mortal" (cf. Mt 26, 38); e, já na Cruz, disse: "Pai, em tuas mãos entrego meu espírito" (Lc 23, 46).

PARA CURAR A MENTE E O ESPÍRITO, É NECESSÁRIO REENCONTRAR O SENTIDO DA VIDA

Muitos de nós, e percebo isso em contato com os ouvintes de meu programa diário de rádio, encontram-se espiritualmente doentes: Enquanto isso, o Inimigo está fazendo a festa com nossa vontade enfraquecida.

Isso é triste, porque Deus nos deu Seu Filho, Sua Palavra. Ele nos deu condições de nos fortalecermos contra esses ataques do Maligno.

Abusos não superados e traumas não curados precisam ser enfrentados e ressignificados à luz da Palavra de Deus. Somente aquele que se conecta a Cristo e se integra a Ele vive com a esperança e a plenitude necessárias para alcançar a paz de espírito.

Não adianta pensar: "Dane-se! Vou levar minha vida do jeito que eu quero, sem medir as consequências e a gravidade dos meus atos." Recentemente, perdemos a oportunidade de tirar algo positivo da terrível pandemia que assolou o mundo e nos emendar, tornando-nos mais sensatos e reencontrando a razão de viver.

Por isso, temos de nos questionar: "Que sentido tenho dado para a minha vida?"

Essa é uma pergunta cuja resposta tem importância vital, pois interfere até na forma como lidamos com a morte. Uma pessoa que conhece o sentido na vida jamais pensa em suicídio. Da mesma maneira, dificilmente será capaz de causar um trauma ao outro.

Se estamos alheios ao sentido da vida, por sua vez, vivemos prisioneiros dos nossos traumas e não buscamos a ressignificação. Permanecemos reféns dos sentimentos de abandono, tristeza e outros achaques psíquicos, a ponto de muitos não conseguirem mais suportar e desistirem de viver.

Todos os dias Jesus nos faz um chamado. Alguns o veem apenas como o nascer de um novo dia, mas, se compreendemos o verdadeiro sentido da vida, sabemos que todo dia novo é um convite que vem do Alto. Ele, que nunca nos esquece — embora quem viva alheio ao sentido da vida já tenha se esquecido d'Ele há muito —, convida-nos diariamente a repensar a nossa história: não apenas aquela que construímos até aqui, como também, e sobretudo, aquela que temos pela frente. "Coragem, levanta-te, Jesus te chama!" (Mc 10, 49b)

MAIS QUE UMA PALAVRA, RESSIGNIFICAR É AÇÃO

Ressignificar significa atribuir um novo sentido ou valor a algo que já existia. É uma forma de mudar a maneira como interpretamos ou vivenciamos determinada situação ou evento. A ressignificação pode ser usada como estratégia para superar traumas, perdas, conflitos, medos e angústias, transformando essas experiências em oportunidade de crescimento pessoal, de autoconhecimento, de valorização de si mesmo e dos outros.

Hoje em dia, na era das redes sociais, é muito comum vermos pessoas criticando postagens de celebridades, e até de anônimos, por considerá-las nocivas ou inadequadas para esse ou aquele grupo. Contudo, não podemos esquecer que todos nós somos, em alguma medida, formadores de opinião para alguém e, por isso, essa responsabilidade também nos diz respeito.

Por exemplo, além de protetores e provedores, os pais são formadores de opinião para os filhos. Para o bem e para o mal. Por problemas interiores, um pai ou uma mãe de bom coração pode se transformar em péssimo exemplo moral, espiritual e afetivo para aqueles que estão sob a sua guarda.

Da mesma forma, um líder político, empresarial ou religioso é absolutamente responsável por todos aqueles que cativa com suas ideias, crenças e princípios. Eu e meus irmãos no sacerdócio temos as responsabilidades, como pais espirituais, de cuidar, de orientar e de santificar nossos filhos na fé, bem como de alimentá-los com a Sagrada Eucaristia, de ensinar-lhes a Doutrina Social da Igreja e, se necessário, de corrigi-los na fraternidade, com humildade, paciência e caridade. Se não for assim, podemos causar danos à nossa própria vocação e à comunidade que servimos. Pior: podemos desanimar e desviar nossos filhos espirituais do caminho da salvação.

Todos temos passagens da vida de que nos orgulhamos e outras que, se pudéssemos, simplesmente apagaríamos. Lembra-se daquele filme *Brilho eterno de uma mente sem lembranças*? O que fizemos de errado ou aquilo que nos faz sofrer são curvas sinuosas e pontos cinzentos que trazem muito sofrimento e nos levam a pensar: "Eu preferiria esquecer."

Na ficção científica isso pode até ser possível, mas, na vida real, não. A boa notícia é que, embora não haja como "passar uma borracha" no passado que nos atormenta, em Deus podemos ressignificá-lo. Em outras palavras, é possível transmutar o que é negativo em positivo, o erro em aprendizado.

Está ao nosso alcance, e depende unicamente da nossa disposição, agir ou continuar fazendo besteiras, amargurando-nos cada vez mais.

Por mais que a vida não nos dê sobremesa nem refresco, sempre é possível descascar um abacaxi ou fazer uma limonada. Se, a exemplo dos santos, tivermos conexão com Deus e intimidade com Jesus, poderemos ter novas perspectivas e ser mais fortes que as tribulações. É primordial saber retirar lições produtivas de nossas tristezas e adversidades e, com isso, aumentar nossa força interior.

Todos os santos sofreram, assim como Nosso Senhor Jesus Cristo. Mas eu pergunto a você:

Eles pararam no sofrimento?

De modo algum!

Ressignificar é fazer essa travessia, deixando a dor do outro lado e ficando em dia com nossos sentimentos, para não vivermos no passado.

No caso da Paixão de Cristo, da morte e Ressurreição de Jesus, houve uma ressignificação no sentido mais profundo, porque lançou Luz sobre a dor e as trevas.

Jesus padeceu na Cruz, sofreu na mão de Caifás, sentiu sede, dor, medo e passou pela mais terrível das humilhações. As Escrituras nunca negaram isso. As Santas Chagas de Jesus são cicatrizes de momentos de dor extrema — tanto para Ele quanto para Nossa Senhora e para os Apóstolos. No entanto, a Ressurreição fez com que aqueles acontecimentos, com que todo o sofrimento experimentado, adquirissem *sentido*. Suas Chagas se tornaram marcas da Sua gloriosa vitória.

Cabe uma reflexão, portanto.

Qual é a sua "ressurreição"?

A ressignificação é um tipo de ressurreição, ainda que não tenha ocorrido nenhuma morte física. Conseguir se resgatar dos escombros de si mesmo e refazer a própria vida em Deus são ressurreições particulares que cada um pode e deve buscar para si.

COMO ATRAVESSAR A DOR DA PERDA DO SENTIDO DA VIDA

Lançar luz sobre o passado não é fácil; afinal, é trabalhoso e dolorido mexer em traumas interiores. Dói demais fazer sangrar as velhas feridas, mas é necessário que elas adquiram um novo significado e a vida volte a fazer sentido, sem rejeitarmos a nossa história.

Como exemplo, lembro aqui a trajetória de José do Egito, personagem do Antigo Testamento, cujo relato se encontra no Livro de Gênesis, capítulos 37 a 50. Trata-se do primeiro filho de Jacó com sua esposa mais amada, Raquel, que permanecera infértil por anos. Os outros eram filhos de Jacó com Lia. Por conta disso, tornou-se o filho favorito de seu pai e, também, o mais protegido.

José tinha uma inabalável confiança em Deus, demostrava inteligência... Era conhecido como José, o Sonhador, em razão de ter sonhos proféticos e o dom de interpretá-los. Seus irmãos o desprezavam, porque seu pai demonstrava ter por ele um amor maior.

Tudo piorou quando José o presenteou com uma túnica colorida e de mangas longas, pois, na cultura da época, aquele adorno significava que, além de ser o filho predileto, era o escolhido de seu pai como principal herdeiro e futuro líder do grupo familiar. Assim, movidos por ódio, ciúme e inveja, os irmãos conspiraram contra ele. Só não o mataram porque um deles, chamado Rúben, não deixou. Jogaram-no dentro de um poço sem água e, depois, venderam-no como escravo para uma caravana estrangeira. Deparando-se com uma nova realidade, José precisou adaptar-se a uma vida totalmente adversa daquela a que estava acostumado.

A saga desse personagem é bastante longa, e por isso a resumirei aqui. Após ter sido ameaçado de morte e vendido como escravo por aqueles a quem amava, José se viu na solidão de uma terra estranha. Foi comprado por Potifar, de quem ganhou a confiança, e a administração de sua casa, assim como suas terras. Foi tentado pela mulher de Potifar, mas se manteve firme e não pecou contra Deus. Acusado injustamente por ela de tê-la assediado, foi preso. Esquecido por um dos companheiros de prisão, cujo sonho havia interpretado e a quem pedira para, uma vez solto, defender sua inocência, lá permaneceu até ser chamado para interpretar os sonhos do Faraó.

Ao constatar que o Senhor estava com José e devido aos seus valiosos conselhos, o líder máximo o nomeou governador do Egito. Passou a levar uma vida abastada e casou-se com a filha do sacerdote. Mais tarde, quando uma fome que ele previra ao interpretar um sonho do Faraó tomou conta do Egito, os mesmos irmãos que o tinham vendido foram até ele em busca de mantimentos. Apesar de tudo, José não tripudiou deles e os atendeu.

Não há dúvida de que esse homem viveu experiências terríveis de estresse, abandono e traumas, as quais muitas pessoas não suportariam. Tinha motivos de sobra para se ressentir e chegou a ter a oportunidade de se vingar dos irmãos. Contudo, contrariando a tese do "olho por olho, dente por dente", José agiu de forma contrária ao esperado e os perdoou incondicionalmente.

Cabe aqui perguntar: como José conseguiu preservar a saúde mental e manter a esperança diante de tantos infortúnios? O que ele fez para impedir que a mágoa paralisasse sua vida?

A resposta a esses questionamentos tão profundos é simples e direta.

José ressignificou o seu passado e as suas dores em Deus. Tanto que, ao final, quando os irmãos se prostraram diante dele como escravos, ele lhes disse: "'Vocês pretendiam o mal contra mim, mas o projeto de Deus o transformou em bem, a fim de cumprir o que se realiza hoje: salvar a vida de um povo numeroso. Portanto, não tenham medo. Eu sustentarei vocês e seus filhos.' José os tranquilizou e lhes falou afetuosamente" (Gn 50, 20-21).

Quanto a nós, devemos olhar para trás e dizer: "Aquilo que me trouxe sofrimento não me determina. Aquilo é passado."

Não se trata de negar a dor e o impacto que causou em nós, tampouco de mudar os fatos, até porque não conseguiremos. Trata-se, isso sim, de mudar nosso olhar sobre os acontecimentos, ou seja, de ressignificá-los.

Uma boa ressignificação pode acontecer quando, por exemplo, a pessoa é humilde e busca ajuda. Atualmente é possível fazer uma boa terapia psicológica com profissional qualificado. Convém aos católicos lembrarem-se sempre de procurar uma terapia em psicologia que tenha uma boa "antropologia de base", como aconselhava São João Paulo II.

Há uma passagem bíblica belíssima no Livro das Lamentações que diz: "Eu lembro da minha tristeza e solidão, das amarguras e dos sofrimentos. Penso sempre nisso e fico abatido. Mas a esperança volta quando penso no seguinte: o amor do Senhor Deus não se acaba, e a sua bondade não tem fim. Esse amor e essa bondade são novos todas as manhãs, e como é grande a fidelidade do Senhor!" (Lm 3, 19-23)

É esse amor e essa fidelidade que devem nos mover a buscar o sentido da vida, a compreender os fatos do passado (ressignificados) e a perdoar as pessoas envolvidas para que assim sejamos libertados das correntes do ódio e das mágoas que nos aprisionam, dando espaço ao crescimento espiritual e à cura emocional que o Senhor quer realizar em nós.

O projeto de Deus consiste em transformar o mal em bem sempre, pois Ele nos ama.

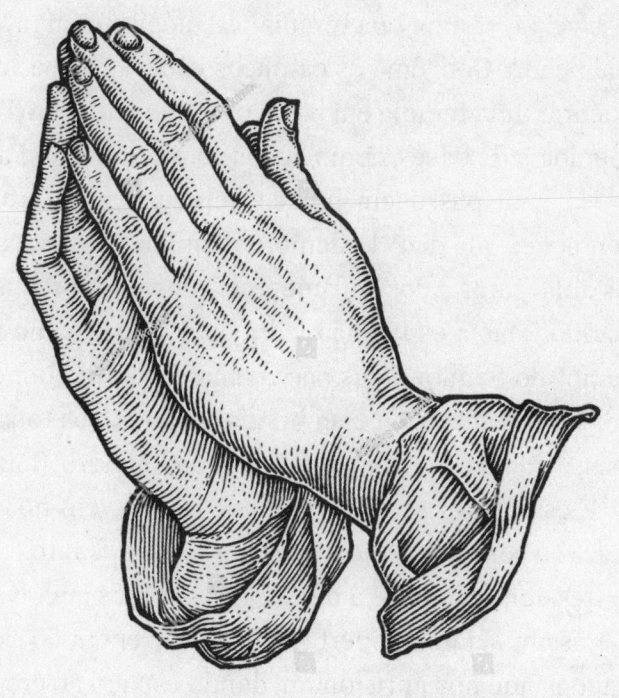

ORAÇÃO PELA CURA DA PERDA DO SENTIDO DA VIDA

Senhor, Tu que és a fonte de todo amor,
   ajuda-me a encontrar o sentido da minha vida.
   Ilumina-me a respeito do propósito que tens para mim.
   Mostra-me o meu valor e o meu dom.
   Faça-me sentir e ser útil ao teu Reino.
   Apaga, Senhor, minha sensação de estar perdido e sem esperança.
   Cura-me das feridas do passado
   e me liberta dos medos do futuro.
   Dá-me a unção e aquece-me com o fogo do Teu Espírito.
   Mostra-me, Senhor, o caminho,
   inspira-me a vontade e me fortalece na fé.
   Amém.

Escaneie com a câmera do celular o QR Code a seguir e reze com o Padre Manzotti:

{2}
CURA DOS TRAUMAS EMOCIONAIS

Os chamados traumas emocionais dizem respeito a uma condição psíquica provocada por experiências dolorosas ou extremamente desagradáveis, com as quais muitos temos de lidar no decorrer da vida. Eles se manifestam independentemente da nossa vontade; doem, machucam e destroem, deixando marcas profundas tanto na mente quanto na alma. Na medida em que não os racionalizamos e enfrentamos, tornamo-nos reféns do seu jugo.

Os fatos que desencadeiam os traumas emocionais são de natureza difusa. Podem ocorrer em quaisquer das instâncias nas quais nos movimentamos e com as quais interagimos no dia a dia: no convívio social, na vida pessoal e profissional — e, hoje em dia, não apenas em âmbito físico ou presencial, como também no virtual. Quem já não ouviu falar de casos terríveis envolvendo *cyberbullying* e, mais recentemente, até estupro virtual?

Os traumas derivam de acontecimentos que provocam sensações extremamente tóxicas, como medo, frustração, rejeição, desencanto, desespero... Tais sensações quando não compartilhadas numa busca por ajuda, tendem a se cristalizar. Produzem uma espécie de crosta aparentemente endurecida, mas que não passa de uma cobertura frágil e altamente permeável, que mantém ativa uma ferida sangrenta.

No casamento, as traições veladas ou escancaradas são uma fonte inesgotável de traumas para ambos os parceiros, uma vez que quem trai também pode carregar a culpa, enquanto a parte traída cultiva uma mágoa profunda e, não raro, até a intenção de vingança. Sentir-se permanentemente frustrado por perceber, nas mínimas ações, que a pessoa escolhida para compartilhar a vida conosco não é aquilo que esperávamos também pode ser uma fonte de sentimentos tóxicos e igualmente geradores de traumas emocionais. O ápice desse processo de desencanto é o rompimento definitivo, o que também se constitui em uma ferida aberta de difícil cicatrização.

Devemos, a propósito, prestar muita atenção no relacionamento com os filhos, pois é comum os pais projetarem sobre eles uma quantidade descomunal e injusta de expectativas que, por uma razão ou outra, não se concretizam. Há quem tente disfarçar esse imenso descontentamento, preferindo destilar o veneno que inoculou no próprio coração aos poucos, com pequenas desfeitas, comentários maldosos e comparações feitas aqui e ali, diminuindo ou humilhando um filho perante o outro mais "bem-sucedido". Ainda assim, a potência do trauma causado preserva a mesma força destruidora de corações e mentes. Do mesmo modo, aqueles que sofrem com o estigma do abandono precoce e com a não convivência em um ambiente familiar minimamente estruturado e acolhedor tendem a desenvolver uma série de sequelas emocionais que comprometem sobremaneira a qualidade de vida.

As perdas de entes queridos e pessoas próximas, especialmente quando ocorrem de forma repentina, também são importante fonte geradora de traumas, tornando-se uma espécie de divisor de águas na vida daqueles que ficam pelo caminho após a passagem de um tsunami avassalador. Existem casos em que o enlutado não se suicida propriamente, mas passa a descuidar de si e da sua saúde a tal ponto que acaba, por exemplo, mergulhando no vício da bebida ou da comida, como se brincasse de forma descabida e mórbida com a própria vida.

Tudo isso sem contar os casos que envolvem situações de violência ou circunstâncias criminosas, como os roubos ou assaltos praticados com arma, seja branca ou de fogo, esta última quase sempre apontada para a cabeça da vítima; sequestros, com ou sem cárcere privado; agressões diversas dentro de casa, normalmente praticadas por homens contra mulheres e crianças; assédio sexual, mediante constrangimento ou grave ameaça; e os cada vez mais recorrentes episódios de estupro, sejam eles levados a termo de forma presencial, sejam realizados virtualmente.

COMO TRIUNFAR SOBRE A DOR DOS TRAUMAS EMOCIONAIS

Independentemente da sua origem, os traumas produzem naqueles que os carregam um sentimento de desconfiança permanente em relação a tudo e a todos. Ao mesmo tempo, geram um baita complexo de inferioridade, que nos faz duvidar de nossas próprias capacidades.

Essa imagem distorcida de nós e do mundo à nossa volta dificulta nosso empenho em realizar qualquer tipo de atividade, pois, ao ferir de morte a nossa autoconfiança, acabamos incapacitando-nos de alcançar objetivos pessoais e profissionais e até mesmo a missão que o Senhor tem para nós. Como batizados e discípulos de Jesus, somos chamados a dar sabor à vida das pessoas, a conservar e transmitir os valores do Reino de Deus, a purificar e santificar o mundo com nossa presença e ação, bem como amparar os que sofrem. O Senhor nos qualificou para isto: "Vós sois o sal da terra e a luz do mundo" (Mt 5, 13).

Nesse sentido, podemos contar com inúmeros exemplos inspiradores das Sagradas Escrituras, como é o caso de Moisés (Ex 3-5), já citado por mim em obras anteriores. Sim, esse profeta do Antigo Testamento amargou uma história de fracassos e passou por muitos percalços. A certa altura teve de fugir e passar quarenta anos cuidando das ovelhas do sogro e vivendo na casa dele. Quando Deus o chamou e expôs a missão que havia reservado para ele, Moisés deixou transparecer um tremendo complexo de inferioridade:

"Quem sou eu para ir falar com o rei do Egito
e tirar daquela terra o povo de Israel?"
(Ex 3, 11)

"Mas os israelitas não vão acreditar
em mim nem vão dar atenção ao que eu falar e vão
dizer que o Senhor não me apareceu"
(Ex 4, 1)

> *"Ó, Senhor, eu nunca tive facilidade para falar,
> nem antes nem agora, depois que começaste a falar comigo.
> Quando começo a falar, eu sempre me atrapalho"*
> (Ex 4, 10)

> *"Não, Senhor. Por favor, manda outra pessoa"*
> (Ex 4, 13)

O Senhor, contudo, seguiu argumentando e restituindo a autoconfiança de Moisés: "Eu estarei com você [...] Agora vá, pois eu o ajudarei a falar e lhe direi o que deve dizer" (Ex 4, 12). E também: "Eu lhe dei poder para fazer muitos milagres" (Ex 4, 21).

Moisés se abriu à ação de Deus, e o restante da história todos conhecem. Nós também podemos deixar o Senhor agir em nós, para que superemos nossos complexos e perdas.

É importante ressaltar que alguns tipos de traumas pedem tratamento psiquiátrico. No entanto, a presença de Deus, comprovadamente, é uma arma poderosa aliada aos tratamentos terapêuticos em direção à cura.

Como já citei, o passado não pode ser mudado, e é inútil procurar culpar os fatos ou as pessoas que nos influenciaram negativamente. Também volto a dizer que não podemos ficar estacionados, pois senão deixamos de viver o presente e não vislumbramos o futuro.

É muito comum, hoje, viver sem esperança e à mercê de transtornos como ansiedade, depressão e pânico, os quais tornam a pessoa incapaz de levar uma vida saudável, deixando de sair de casa, relacionar-se, ter autoconfiança, dormir bem.

Por que isso ocorre?

A principal causa é a alienação, ou seja, não olhar para o próprio interior com "olhos de ver". Digo isso porque não adianta nada pagar consulta com o psicólogo e com o psiquiatra apenas para se entupir de remédios e continuar mascarando a própria dor. É preciso mexer na ferida aberta que ainda sangra e iniciar o processo de cicatrização.

Evidentemente, assim como no caso dos ferimentos corporais, nós necessitamos da orientação de um profissional de medicina ou de enfermagem para trocar o curativo. Também precisamos de apoio terapêutico para lidar com as nossas mágoas e dores mais profundas. Sem esquecer, é óbvio, da luz e da sabedoria de Jesus, o Médico dos médicos.

Não é por acaso que, no português corrente falado em Portugal, ainda se usa o termo "magoar" para designar a sequela física provocada por contusão ou ferimento. Pois a nossa alma muitas vezes também está contundida, magoada, ferida de morte; porém muitas pessoas se alienam e fazem "vista grossa", descuidando de si mesmas. A consequência disso é a pior possível: não conseguem romper o círculo vicioso e acabam encontrando nos excessos e nas atitudes desordenadas uma espécie de compensação ou válvula de escape. Por mais que o alcoolismo, por exemplo, seja uma doença, muitas vezes o gatilho para desencadeá-la vem de uma dor mal resolvida.

Poucas pessoas se dão conta, mas a raiz da inveja costuma ter relação direta com o trauma que alguém com esse tipo de conduta carrega. Peço licença aqui para utilizar uma expressão pouco associada à fé católica ao me referir à pessoa invejosa: antes de tudo, ela precisa "aceitar" Jesus! Não estranhe, por favor, essa terminologia, porque todos temos de aceitar Jesus para termos acesso ao Seu poder de cura.

Somente assim conseguimos dominar a inveja, a cobiça e todas as mazelas do comportamento humano.

Nessa jornada de aceitação de Jesus, precisamos nos entregar e sermos persistentes. Não adianta pensar que basta ser um "católico de um dia só" e tudo estará resolvido. Não!

Repito, trata-se de uma jornada, de um processo no qual vamos atravessar a dor dos traumas e lograr a ressignificação. Um bom início, como já sugeri, é ter "olhos de ver", ou seja, observar o que aciona em nós os pensamentos ou comportamentos negativos e bloquear essa fonte de toxicidade. Podem ser ambientes, pessoas ou conversas que não nos fazem bem. Precisamos aprender a discernir o que nos convém ou não. Como escreveu São Paulo: "Eu posso fazer tudo o que quero, mas nem tudo me convém" (1 Cor 6, 12).

"Filtrar" aquilo que entra pelos nossos ouvidos é outra forma de se blindar de possíveis gatilhos que causam mal-estar mental e espiritual. Atenção: isso não é uma demonstração de elitismo ou puritanismo, mas temos de aprender desde cedo que devemos ser seletivos com o que escutamos, pois nem tudo vale a pena. Portanto, abster-se de ver e de escutar "porcarias" é uma forma de se preservar do risco desnecessário. Se algo mais atrapalha do que ajuda, deixe-o de lado. Lembremos que, internamente, o estímulo negativo pode vir da nossa própria mente, por meio de lembranças dolorosas. Então, ao perceber que um pensamento negativo insiste em se manifestar, desvie a sua mente para outro foco. A oração é um dos melhores aliados nesse "adestramento". A oração nos ajuda a reduzir o estresse, a ansiedade e a depressão, pois proporciona um momento de tranquilidade e paz. Também nos leva a confiar a Deus nossas preocupações, medos e angústias, certos de que Ele agirá em nosso favor.

Aproveito para elencar aqui algumas condutas simples que fazem toda a diferença nessa jornada de cuidados com a saúde mental e a espiritual:

1. Conecte-se com Deus — uma conexão profunda com Deus todo dia, toda hora. Isso gera uma reciprocidade que expressa fidelidade na "certeza da vitória a quem é perseverante" (CIC, 2592).

2. Conecte-se consigo mesmo. Autoelogie-se e não esqueça de reservar algum tempo para fazer o que gosta.

3. Tenha coragem de dizer "não" para o que não faz bem a você. Tenha coragem de se posicionar e dizer o que pensa. Isso não é ofender o outro, mas escolher o que lhe faz bem.

4. Crie hábitos de autoconfiança. Procure ocupar o seu tempo com atividades manuais ou intelectuais leves e edificantes. Afinal, "cabeça vazia é oficina do Diabo". A intenção, aqui, é criar uma "rotina positiva", com compromissos que nos motivem a levantar da cama pela manhã e se exercitar, ou então a realizar, por exemplo, um trabalho voluntário. Criar um clube informal de amigos, participar de um grupo de oração, dedicar-se ao artesanato, à culinária, à jardinagem, tudo isso pode ser feito dentro de casa e preenche o tempo, tendo um efeito altamente benéfico sobre a mente e o espírito. O vazio nos faz perder as perspectivas.

5. Nutra pensamentos positivos e diálogos internos construtivos. Como já disse, quando perceber uma presença estranha se aproximando do "rio" da sua mente, caminhe em direção à outra margem. Conte sempre com a oração.

6. Busque um bom diretor espiritual, que saiba orientá-lo na vida espiritual e, naquilo que convém, discernir a necessidade de acompanhamento profissional.

7. Não pense que "terapia é para louco". Loucura é precisar de ajuda profissional e não procurá-la.

É importante salientar que superar traumas implica sempre ressignificar nossas memórias. Essa foi a pedagogia que Jesus praticou quando encontrou os discípulos de Emaús voltando para casa derrotados (Lc 24, 13-35). Ele os instigou: 'O que é que vocês estão conversando pelo caminho?' Eles pararam, com um jeito triste." Jesus sabia do que se tratava, mas insistiu para que eles expressassem a sua aflição: "O que foi?"

Por isso, fale com Deus, expresse a dor que sente; é assim que começa o processo curativo de um trauma. Foi o que fez Santa Teresinha do Menino Jesus, que ainda muito jovem enfrentou situação de abandono com a perda da mãe, seguido pela partida da irmã Celina, sua referência materna, para o convento. Juntou-se a essas perdas a tristeza por ter escutado que seu pai não lhe daria mais presentes de Natal. Para ela, que na época era apenas uma criança, esses fatos tiveram um impacto muito grande, mas, com fé inabalável, pediu a Deus e foi curada desse trauma pelo Menino Jesus na própria noite de Natal. Esses acontecimentos marcaram a trajetória de Santa Teresinha e se tornaram um grande tesouro para a Igreja, pois são narrados num livro que inspirou, e inspira, muitos fiéis pelo mundo: *História de uma alma*.

É importante não termos medo de encarar a dor. É importante confiarmos no Senhor. Ainda que pessoas ou fatos da vida tenham nos decepcionado, Ele jamais nos decepcionará. "Ele cura os que têm o coração partido e trata dos seus ferimentos" (Sl 147, 3).

Não importa como esteja nosso coração nem quais sejam as dores que já sofreu até hoje. Não importa quais as feridas da alma que carregamos. O Senhor pode mudar e restaurar toda a nossa existência. N'Ele e por Ele todo sentimento nocivo se transformará. Toda dor será amenizada, e as trevas se dissiparão pela Luz, pois quem está unido com Cristo é uma nova pessoa, acabando o que era velho e chegando o que é novo (cf. 1 Cor 5, 17).

Estejamos atentos, pois, se ainda houver algum resquício de dor dentro de nós, isso quer dizer que não passamos pela cura adequada ou que ela não foi suficiente. E não tenhamos medo de passar pelo processo quantas vezes for necessário. Como sabemos, o Senhor quer e pode curar nossos traumas, não importa se são leves ou profundos. As feridas não irão desaparecer, também estamos cientes disso; contudo, com Seu poder redentor, Ele transforma toda ferida numa cicatriz indolor.

ORAÇÃO PELA CURA DOS TRAUMAS EMOCIONAIS

Senhor, Deus de bondade e misericórdia,
eu te peço que cures os meus traumas emocionais.
Carrego em mim feridas que me impedem de ser feliz.
Cura-me, Senhor, dos abusos, violências, rejeições,
humilhações, perdas e decepções, que me marcaram profundamente.
Cura-me do medo, da raiva, da tristeza, da culpa e da vergonha
que me paralisam e me isolam.
Senhor, sei que tens o poder de restaurar todas as coisas.
Ajuda-me a reconhecer meus traumas,
a perdoar os que me causaram mal,
e pedir perdão aos que ofendi.
Ajuda-me a confiar na tua providência
e a entregar-te minhas dores.
Amém.

. . . .

Escaneie com a câmera do celular o QR Code a seguir e reze com o Padre Manzotti:

{3}
CURA DO SENTIMENTO DE ABANDONO

O sentimento de abandono é uma experiência emocional dolorosa que pode afetar a autoestima, a confiança e o bem-estar de cada um. Quem sofre com esse sentimento se sente sozinho, desamparado, rejeitado ou desprezado.

O abandono pode ocorrer em diferentes contextos, como na infância, na família, nos relacionamentos amorosos ou no trabalho. Algumas das consequências são a ansiedade, a depressão, o isolamento social e o medo de se envolver em novas relações.

Por não ser psicólogo nem psiquiatra, não posso e não devo me ater exatamente às causas, sintomas e tratamentos desse problema, ao menos na medida em que for patológico. Assim, tudo o que compartilho neste capítulo diz respeito ao meu aprendizado sobre o assunto enquanto pai espiritual ou "orientador de almas", como dizem alguns.

A IMPORTÂNCIA DOS AFETOS POSITIVOS

A origem do sentimento de abandono é muito diversa. No caso de fatos mais remotos, é difícil conseguirmos nos lembrar com clareza: geralmente são recordações esmaecidas guardadas na memória, que podem até ser confundidas com um simples sonho. No caso das lembranças mais dolorosas, acredito que a mente humana crie uma espécie de mecanismo de autodefesa, segundo aquela máxima: "Se não lembrar, não sofro." Contudo, os fatos desagradáveis e, sobretudo, as sequelas ficam armazenados em nosso inconsciente e podem vir à tona de forma involuntária.

O período da infância é muito revisitado pelos terapeutas, pois é justamente nele que se inicia a construção dos nossos vínculos emocionais. O afeto, a presença, o incentivo, o amparo perante as emoções negativas e até mesmo os limites impostos e as correções construtivas são determinantes para que formemos vínculos saudáveis.

Se, durante a meninice, esse desenvolvimento emocional foi fragilizado, isso poderá resultar em inseguranças e carências afetivas mais profundas, que se manifestarão em outras fases da vida. Quando estou em processo de escuta de alguém que demonstra sentimento de desamparo, rejeição, sempre que nos aprofundamos um pouco mais nas raízes dos problemas, vêm à tona vínculos e relacionamento inadequados mantidos na infância. Não me refiro propriamente ao abandono de fato, como é o caso de muitas crianças adotivas, mas sobretudo ao abandono emocional.

Por isso, insisto que pais, responsáveis e cuidadores não podem jamais economizar nos abraços, no cafuné, nos elogios, bem como nas palavras de encorajamento e incentivo. Um elogio sincero acompanhado de um sorriso e um abraço, aquilo que chamamos de reforço positivo, é um dos principais alimentos da alma humana. "Você é o meu filho querido, o filho que eu mais amo. Sempre que digo o seu nome, penso em você com amor. O meu coração se comove, e eu certamente terei misericórdia de você. Sou eu, o Senhor, quem está falando" (Jr 31, 20).

Atualmente, muitos pais e mães deixam seus filhos em creches ou, no caso daqueles com maior poder aquisitivo, com babás para poderem trabalhar. Compreendo que hoje em dia ambos, marido e esposa, muitas vezes precisam contribuir para o orçamento familiar. E muitos estão comprometidos com suas carreiras e com o desempenho no trabalho, não obstante se desdobrem para dar aos filhos estudo de qualidade e a melhor condição de vida possível. Tudo isso é louvável, sim, porém quem é mãe ou pai tem de priorizar a qualidade do tempo que passa com os filhos. Sempre faço questão de lembrar que as prioridades somos nós que decidimos. O cobertor pode até ser curto, mas o braço e o abraço não podem sê-lo. Quando o ditado popular diz que ser mãe ou pai é "padecer no Paraíso", está nos alertando para que, mesmo cansado e ocupado, é preciso dar atenção, demonstrar aos filhos como eles são importantes, ter gestos de carinho, proferir palavras agradáveis e envolvê-los na rotina doméstica. Em meus aconselhamentos, costumo alertar para a "síndrome do braço curto", que normalmente se manifesta com justificativas bem características, como: "Agora não dá", "Estou ocupado", "Estou muito cansado", e assim por diante.

EM QUE ESQUINA NOS PERDEMOS NO VALE DO ABANDONO

Sabemos que tudo começa lá, quando ainda somos crianças, mas fica a pergunta: em que ponto exato da nossa jornada fomos gravemente feridos e começamos a caminhar de forma errática pela vida?

Talvez tenha sido na esteira de um relacionamento nocivo que tomara conta da dinâmica familiar, por exemplo. Lidar com estímulos positivos e saudáveis fortalece, na criança, a certeza de que não será abandonada, enquanto a tensão e os conflitos permanentes provocam insegurança, o que é prejudicial ao seu desenvolvimento emocional. Ainda que os pais tentem preservar os filhos de uma situação de infidelidade típica, o clima de desconfiança e descontentamento que se instala no ambiente familiar reverbera nos pequenos. Como se diz popularmente, as crianças "captam" tudo, a ponto de muitas chegarem a repetir o mesmo comportamento na fase adulta. Há quem internalize a decepção de tal forma que acaba generalizando e acreditando na infidelidade como caminho inevitável, ou seja: parte do princípio de que não existe monogamia, e que todas as pessoas são infiéis e que sempre irão abandoná-la.

O medo de perder ou de ser abandonado é uma das causas de ciúme exagerado nos relacionamentos. Pode levar inclusive à obsessão de querer controlar a vida do outro, temendo que a liberdade da outra pessoa de fazer as próprias escolhas possa culminar no abandono. Esses homens e mulheres inseguros, portanto, agem de forma manipuladora em situações pertinentes ao casamento, às amizades e até ao trabalho. Já soube de casos de colocação de rastreador no veículo do companheiro para monitorar, em tempo real, com quem ele estava e aonde ia. Examinar mensagens e ligações telefônicas é um caso clássico de invasão de privacidade no qual aquele que é vigiado se sente impedido até de respirar.

Ora, sejamos razoáveis! Se a esposa conheceu o atual marido sabendo que ele gostava de futebol, de jogar bola com os amigos, e passou a namorá-lo mesmo assim, por que, depois de casados, "quebra o maior pau" toda vez que ele sai para "bater uma bola" ou para espairecer com os amigos no jogo do time de sua preferência? Da mesma forma, o rapaz que se encantou pela moça que frequentava a Igreja: por que cargas d'água agora, uma vez unidos pelo Sacramento do Matrimônio, resolveu ter ciúme até dos padres?

Nas partilhas que recebo, muitos dizem não saber de onde vem isso, mas eu revelo aqui sem medo de errar: vem do sentimento de abandono, que tanto faz alguém agir no intuito de aprisionar o parceiro em uma redoma quanto o faz se afastar dos outros ou tornar-se submisso e dependente, aceitando tudo o que companheiro diz ou impõe, ainda que se trate de um relacionamento tóxico e gerador de sofrimento. Um comportamento retroalimenta o outro, e ambos transformam e anulam as duas partes envolvidas. É necessário curar-se e libertar-se desse mal.

COMO ATRAVESSAR A DOR DO SENTIMENTO DE ABANDONO

Para alcançar a cura total, é necessário, também, tratar do lado espiritual. Com certeza, muitos de nós, em algum momento da vida, tivemos a sensação de que até mesmo Deus nos abandonou. Muitas vezes, o lamento do povo de Sião é o nosso: "O Senhor nos abandonou. Deus nos esqueceu." Mas Deus responde propondo um exame de consciência espiritual: "Será que uma mãe pode esquecer o seu bebê? Será que pode deixar de amar o seu próprio filho? Mesmo que isso acontecesse, eu nunca esqueceria vocês" (Is 49, 14-15).

No Antigo Testamento, alguns personagens bíblicos passaram por esse sentimento de abandono. Jó, por exemplo, sentiu-se abandonado por Deus quando perdeu tudo o que tinha — inclusive seus filhos — e foi afligido por doenças. Ele chegou a questionar por que Deus permitia tanto sofrimento. Porém, mesmo sem entender, nunca perdeu a fé e foi curado e restaurado.

Davi, talvez por conta da relação complicada com Saul, que tentou matá-lo várias vezes e insistia em persegui-lo, clamou: "Ó, Senhor Deus, até quando esquecerás de mim? Será para sempre? Por quanto tempo esconderás de mim o teu rosto?" Ao mesmo tempo, também afirmou sua confiança no amor de Deus e na salvação: "Eu confio no teu amor. O meu coração ficará alegre, pois tu me salvarás" (Sl 12[13], 1).

Jeremias, por sua vez, sofreu com o abandono por parte dos irmãos e parentes, que também o perseguiram e tentaram matá-lo. Foi igualmente abandonado por seus amigos e compatriotas, que o rejeitaram e o traíram, acabando por entregá-lo aos seus inimigos (cf. Jr 9, 4-8). No entanto, Jeremias mostrou-se confiante ao pedir: "Ó, Senhor, cura-me, e ficarei curado; salva-me, e serei salvo, pois eu canto louvores a ti" (Jr 17, 14).

Jesus mesmo também viveu momentos de profundo abandono; e, justamente pelo fato de ter conhecimento da ferida que esse sentimento causa, oferece a nós a bênção da cura.

Na noite em que foi entregue aos Seus inimigos, Ele foi ao jardim das Oliveiras, o Getsêmani, para rezar; também pediu àqueles que eram mais próximos, Pedro, Tiago e João, que ficassem com Ele e vigiassem. Disse: "A minha alma está triste até a morte. Fiquem aqui e vigiem comigo" (Mt 26, 38). Mas eles dormiram e não O consolaram. Jesus Se sentiu abandonado pelos amigos.

Depois foi preso, julgado injustamente, condenado à morte, açoitado, coroado de espinhos, carregou a Sua Cruz até o Calvário e foi crucificado entre dois ladrões. Durante todo o tempo, foi ultrajado, alvo de cusparadas e Se sentiu abandonado pela maioria das pessoas que O seguiam.

Jesus estava agonizando na Cruz, cercado de inimigos que O ofendiam e zombavam d'Ele. Contemplava o Céu e Se deparava com o silêncio do Pai. Olhava para a terra e não via Seus amigos e discípulos, aqueles que havia chamado para compartilhar de Sua missão. Somente Sua Mãe, Maria Madalena e João permaneceram com Ele até o fim. Os demais: um o traiu, outro o negou e todos fugiram de medo quando Ele foi capturado.

As dores atrozes não acometiam apenas o Seu corpo, como também a Sua alma. Jesus experimentou profunda solidão e sentimento de abandono, e todo esse sofrimento foi tolerado em nome da humanidade. Eram nossos os pecados que caíram sobre Ele, ferindo, dilacerando e esmagando o Seu corpo humano. Ele suportou sobre Si todas as nossas dores (cf. Is 53, 4-5).

Mas Jesus não parou no abandono. Ele confiou no Pai até o fim. Por isso, nos convida a fazer o mesmo e promete não nos abandonar: "Eu estarei sempre com vocês, até o fim dos tempos" (Mt 28, 20).

Vale lembrarmos ainda de Maria Madalena. Ela buscou em Jesus a cura e Ele a libertou de sete demônios, que lhe induziam inclinações nefastas e desordens espirituais. Curada na vida interior, ela a preencheu com a dedicação a Jesus, e isso foi tão importante que fez dela a primeira testemunha de Sua Ressurreição. Segundo o Papa Francisco: "Precisamos nos libertar dos 'demônios educados'. O 'demônio educado" é aquele que temos em casa, que às vezes não se manifesta em possessões. O demônio ou destrói diretamente com os vícios, com as guerras, com as injustiças, ou destrói educadamente, diplomaticamente... Não faz barulho, se faz amigo, convence você ('Não vai, não faz tanto, não, mas... até aqui está bem') e leva você pelo caminho da mediocridade. Faz de você uma pessoa morna no caminho do mundanismo" (Homilia do dia 12 de outubro de 2016).

Também precisamos de ajuda para perscrutarmos nosso interior a fim de resgatar o bom amor-próprio e a autoconfiança, curando-nos assim da ferida profunda do abandono. Temos de convidar Jesus a aproximar-se e a nos curar.

Jesus quer nos libertar de tudo aquilo que nos aflige e nos impede de ser livres e felizes. Ele pode e quer potencializar nossas virtudes, devolver nossa autoestima e nos restaurar às "configurações de fábrica", isto é, à imagem e semelhança de Deus. Não somos criaturas quaisquer para nos sentirmos rejeitados, desamparados e abandonados. Somos filhos amados do Pai, que nos conhece pelo nome e cuida de nós com carinho.

Jesus é o nosso Salvador, o nosso Médico, o nosso Amigo. Ele é o único que pode curar o nosso sentimento de abandono e rejeição, restaurando a paz de espírito e a alegria de viver.

Pronunciemos, pois, em voz alta e com fé: "Senhor, se quiseres podes me curar!" Se o fizermos, certamente ouviremos no fundo da alma: "Eu quero: fica curado!"

ORAÇÃO PELA CURA DO SENTIMENTO DE ABANDONO

Senhor Jesus, Deus de amor e ternura,
    Tu experimentaste o sentimento de abandono.
    Sabes o que é se sentir rejeitado, excluído e esquecido.
    Eu te peço, Senhor, que cures o meu sentimento de abandono.
    Que eu não me sinta desemparado(a), desprotegido(a), desesperado(a),
    porque Tu estás sempre comigo.
    Sei que me amas com um amor infinito.
    Permita-me viver na Tua intimidade e ouvir a Tua voz.
    Quero sentir o Teu amor a me libertar, a me curar e restaurar.
    Amém.

....

Escaneie com a câmera do celular o QR Code a seguir e reze com o Padre Manzotti:

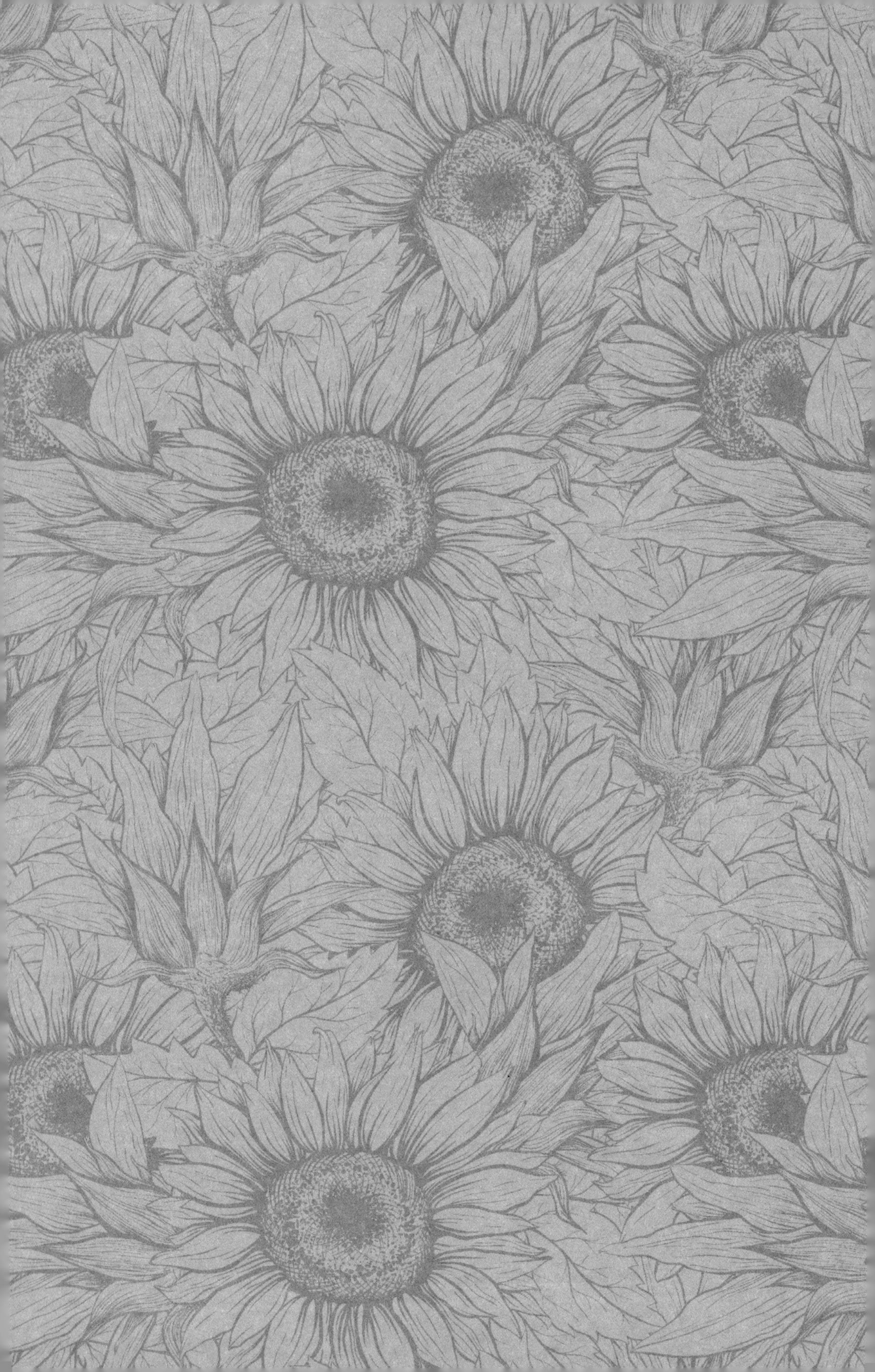

{4}
CURA DA CULPA DESORDENADA

Há uma espécie de culpa que pode ser considerada uma ferida da alma, pois causa sofrimento, angústia e depressão naqueles que a sentem. Também pode afetar nossa autoestima, nossa relação com os outros e nossa saúde física.

Se procurarmos o significado de culpa, entre outros registros vamos encontrar que se trata de um sentimento de responsabilização e de sofrimento após a reavaliação de um comportamento passado tido como reprovável.

É importante entender que a culpa não é congênita. Ou seja, ninguém nasce com ela, embora esse sentimento nos acompanhe desde que nascemos, como disse o Salmista: "Eis que nasci na culpa" (Sl 50 [51], 7). Durante toda a vida, nós estamos suscetíveis a ela, motivados pelo desejo de sermos perfeitos. O desejo, em si, pode ser muito bom.

Com certeza já nos sentimos culpados muitas vezes; contudo, o remorso que podemos experimentar por causa disso acaba paralisando nossa vida. Esse sentimento exagerado bloqueia nossa energia, tira nosso sono, causa-nos pavor, mau humor e atua como um verdadeiro "freio", impedindo nosso crescimento pessoal e prejudicando sobremaneira o convívio social.

Quem me acompanha pelo rádio já deve ter ouvido, muitas vezes, as partilhas de pessoas corroídas pelo remorso. É muito comum os casos em que houve prática de aborto, por exemplo, ter como consequência esse sentimento recorrente e difícil de superar. Também posso citar os episódios de familiares que sentem remorso por não terem amparado e valorizado os pais falecidos enquanto ainda estavam vivos. Outras se martirizam por não estarem presentes de forma satisfatória na vida dos filhos.

Sentir um pouco de culpa pode ser benéfico, pois nos ajuda a aprender com nossos erros, bem como a nos tornarmos mais empáticos e altruístas. É um alerta de que precisamos corrigir os rumos. Contudo, se desordenado, esse sentimento pode levar ao desenvolvimento de doenças físicas, emocionais e espirituais. Além de poder, é claro, dissimular uma grande dose de orgulho, pois muitas vezes a "culpa" mascara a ideia de que podemos progredir por conta própria, sem o auxílio da graça de Deus.

A culpa, portanto, tende a ser tóxica quando não nos instiga a ser melhores; em vez disso, ficamos presos em nós mesmos, remoendo fracassos e limites ou nos vitimizando, o que, na prática, tem o mesmo efeito, qual seja: o de sabotar a possibilidade de encontrarmos uma saída para a situação. Às vezes, a pessoa até sente culpa por ter traído ou roubado, mas isso não é o suficiente para que se redima de fato e não volte a cometer os mesmos deslizes. Em outras palavras, a culpa por si só não faz com que a consciência do mal praticado toque e acione a nossa responsabilidade.

Nesse sentido, o Catecismo da Igreja Católica nos ensina: "A consciência permite assumir a responsabilidade dos atos praticados. Se o homem comete o mal, o julgamento justo da consciência pode continuar nele como testemunho da verdade universal do bem e ao mesmo tempo da malícia de sua escolha singular. O veredito do juízo de consciência continua sendo um penhor de esperança e misericórdia. Atestando a falta cometida, lembra a necessidade de pedir perdão, de praticar novamente o bem e de cultivar sem cessar a virtude com a graça de Deus" (Catecismo da Igreja Católica, 1781). Perceba que, muito além de nos sentirmos culpados em determinado momento, é preciso também fazer um exame de consciência apurado para que cresçamos em contrição e passemos a adotar a prática constante e pedagógica do bem.

A CULPA DESORDENADA ATRAPALHA A VINDA DO HOMEM NOVO

Posso afirmar aqui, sem querer generalizar, que um dos pontos mais sensíveis de todo o processo de cura da culpa desordenada é a dificuldade que temos em assumir nossa responsabilidade; antes, desejamos dividi-la com o outro. Normalmente, o que mais se vê é uma tentativa de se fazer de vítima e de "colocar a azeitona na empada alheia". Na minha família temos até a seguinte "piada interna": "A culpa é minha e eu a coloco em quem eu quiser."

Trata-se daquela velha saída estratégica: "Eu errei, mas a culpa é sua." Vejo isso como um grande problema nos casamentos, o qual pode ser ilustrado pela imagem de um dedo permanentemente em riste e apontado para o parceiro: "Posso até ter errado, mas a culpa pelo fracasso da nossa relação é sua." Isso ocorre justamente porque a culpa não trouxe um exame de consciência apurado, mas apenas e tão somente uma acusação.

Sempre apelo aos casais para que não transfiram a culpa! Se houve erros cometidos, não há inocentes na história. Já que não há como voltar atrás e apagar a tristeza causada um ao outro, que seja uma oportunidade de aprendizado.

Já mencionei que a culpa desordenada é paralisante, pois faz com que a pessoa fique "ruminando" o que aconteceu e não evolua na sua trajetória enquanto ser humano. Se sou culpado e não mudo, fico me achando ainda mais indigno, como uma bola de neve; logo, estarei criando uma imagem distorcida de mim mesmo e de Deus. Em síntese, a culpa não é necessariamente uma garantia de correção nem um fator de evolução que, de fato, permita deixar para trás as práticas perniciosas do "homem velho" e faça aflorar o "Homem Novo". Antes, é preciso olhar para a culpa com objetividade, deixando-se transformar pelo poder de Deus e recebendo uma nova vida em Cristo.

A culpa orgulhosa, desordenada, ensimesmada, faz com que Deus — Aquele que nos amou primeiro e nos ama, que nos dá vida e alegria, que nos liberta e nos faz livres — fique reduzido à imagem de um juiz de olhar empertigado, dedicado a anotar qualquer falha que cometemos para nos punir. Ora, isso nos afasta do Deus verdadeiro e da fé, que é o Deus Pai que recebe o Filho Pródigo com um abraço, colocando-lhe um anel no dedo e dando-lhe um banquete quando de seu retorno.

Uma pessoa perdida no vício de drogas, por exemplo, costuma alegar não ser merecedora de afeto e atenção; por conseguinte, Deus não quereria saber dela. Vemos aí o efeito duplamente nefasto do mau sentimento de culpa: a pessoa fica paralisada e impedida de experimentar o amor de Deus! Guardadas as devidas proporções, o mesmo pode se dar naqueles casos de traições contumazes ocorridas nos casamentos, quando o adúltero aparentemente se reconhece como "alguém que não presta", mas utiliza isso como álibi para não mudar de atitude, alegando ser um caso perdido.

Esse tipo de culpa nos distância do Deus revelado por Jesus, que não quer o pecador destruído, e sim arrependido. Jamais podemos esquecer que Jesus não veio para nos condenar, mas para nos salvar.

COMO ATRAVESSAR A DOR DA CULPA E DO REMORSO

Deus quer despertar em nós a responsabilidade e o reconhecimento dos nossos erros. Essa "culpa" que ele deseja, porém, não é aquela que bloqueia; antes, nos motiva a transformar a realidade. A educação contínua da consciência permite distinguir entre o certo e o errado, o justo e o injusto, e agir de acordo com esses critérios. O Catecismo nos instrui sobre isso: "A formação da consciência é tarefa para toda a vida. Desde os primeiros anos, a criança desperta para o conhecimento e para a prática da lei interior reconhecida pela consciência moral. Uma educação prudente ensina a virtude: preserva ou cura do medo, do egoísmo e do orgulho, dos ressentimentos da culpabilidade e dos movimentos de complacência, nascidos da fraqueza e das faltas humanas.

A formação da consciência garante a liberdade e gera a paz do coração" (Catecismo da Igreja Católica, 1784).

Por isso, sempre alerto pais, mães, avós, educadores e catequistas para que ajudem a formar a consciência moral das crianças. Dessa forma, quando atingirem a fase adulta, serão pessoas menos egoístas, mais empáticas, atentas às demandas e fragilidades do outro e, portanto, capazes de decidir e agir de forma a gerar menos sentimento de culpa e remorso.

Uma consciência bem formada traz paz ao coração. Já uma alma dividida gera conflitos internos. Eu sou padre; então, se passar a levar uma vida dúbia, não terei paz interior. O mesmo vale para mulheres e homens que assumem o compromisso da vida a dois e recebem o Sacramento do Matrimônio. Não pode haver paz para nenhum dos envolvidos onde há dissimulação, mentira, traição. O Inimigo é um artífice do caos e ronda nossos lares à espera de uma mínima oportunidade para se alimentar dessa desordem comportamental e espiritual, propagando-a cada vez mais.

Deus opera exatamente o contrário desse caos. Na Sua infinita misericórdia, Ele age para curar as nossas feridas internas, preservando-nos do egoísmo e do orgulho, que estão na origem das atitudes prejudiciais aos outros e a nós mesmos. Para isso, dá-nos Seus valores e princípios, que são ferramentas para nos defendermos. Cabe a nós, portanto, nos empenharmos em aprender a utilizá-las da melhor maneira.

Nesse importante aprendizado para o nosso crescimento, contamos com a consciência responsável, a ajuda da Graça e o discernimento do Espírito Santo. Por meio deles, nós chegamos à contrição, que é o sincero arrependimento pelos pecados cometidos e pela ofensa a Deus — não por receio do castigo ou por medo do Inferno, mas por amor e gratidão a Ele. Na contrição nós nos convertemos por amor. O mundo precisa da contrição, precisa da mudança e da aversão ao pecado.

O Salmo 50, conhecido como *Miserere,* que em latim significa "compaixão" ou "piedade", é exemplo da contrição por excelência, especialmente nestes versículos: "Tem piedade de mim, ó Deus, por teu amor! Por tua grande compaixão, apaga a minha culpa! Lava-me da minha injustiça e purifica-me do meu pecado! Porque eu reconheço a minha culpa, e o meu pecado está sempre na minha frente; pequei contra ti, somente contra ti, praticando o que é mau aos teus olhos. Ó Deus, cria em mim um coração puro e renova no meu peito um espírito firme. Não me rejeites para longe da tua face, não retires de mim teu santo Espírito. Pois tu não queres sacrifício, e nenhum holocausto te agrada. Meu sacrifício é um espírito contrito. Um coração contrito e esmagado tu não o desprezas" (Sl 50 [51], 3-6a.12-13.19). É maravilhoso saber que Deus nos ama apesar dos pecados que cometemos!

Aqui, listo algumas ações que nos ajudam a alcançar a cura que o Senhor nos quer oferecer:

1. Confessar os nossos pecados a Deus, reconhecendo a nossa necessidade de Sua Graça e misericórdia. "Enquanto não confessei o meu pecado, eu me cansava, chorando o dia inteiro. Então, eu te confessei o meu pecado e não escondi a minha maldade. Resolvi confessar tudo a ti, e tu perdoaste todos os meus pecados" (Sl 31[32], 3.5).

2. Receber o perdão de Deus pela fé em Jesus Cristo, crendo que Ele nos aceita e nos purifica de toda injustiça. "Pois pela morte de Cristo na cruz nós somos libertados, isto é, os nossos pecados são perdoados. Como é maravilhosa a graça de Deus" (Ef 1, 7).

3. Agradecer a Deus pelo Seu amor e pela Sua salvação, louvando-O por Sua bondade e fidelidade. "Por meio de Jesus Cristo, o nosso Senhor, louvemos o único Deus, o nosso Salvador, a quem pertencem a glória, a grandeza, o poder e a autoridade, desde todos os tempos, agora e para sempre! Amém!" (Jd 1, 25)

4. Seguir os ensinamentos de Deus, obedecendo à Sua vontade e vivendo de acordo com os Seus valores. "Pois amar a Deus é obedecer aos seus mandamentos. E os seus mandamentos não são difíceis de obedecer" (1 Jo 5, 3)

5. Buscar a comunhão com Deus, orando, lendo a Sua Palavra e participando da Sua Igreja. "Se alguém me ama, guarda a minha palavra, e meu Pai o amará. Eu e meu Pai viremos e faremos nele a nossa morada" (Jo 14, 23)

Perceba que o processo de atravessar uma dor para curá--la é eminentemente prático e dinâmico, como é o caso de todas as dores analisadas nos demais capítulos deste livro. No caso da culpa desordenada e do remorso, não é diferente. Para sair do atoleiro paralisante em que esses sentimentos nos aprisionam, é preciso agir todos os dias e transmutar o arrependimento em mudança de atitude.

No Antigo Testamento, vemos como o rei Davi, depois de arrependido, recompôs sua vida. Ele reconheceu a própria culpa; sem ficar escravo do remorso, tomou consciência das consequências de seu pecado (cf. 2 Sm 12, 10ss). Davi arrependeu-se ao acolher a reprovação divina depois de ter experimentado o mal. O Salmo 50 (51) é a grande expressão do seu arrependimento e do arrependimento humano na história.

No Evangelho, Jesus conta a parábola do Filho Pródigo, que demonstrou culpa, remorso e arrependimento. Mais novo de dois filhos, um dia Ele pediu ao pai a sua parte da herança e caiu no mundo. Gastou tudo o que tinha farreando e acabou comendo bolotas de lavagem dos porcos. Arruinado, assumiu o erro e não tentou justificar suas ações; antes, reconheceu sua culpa contra Deus e contra seu pai. Sentiu-se triste e envergonhado pela situação de miséria em que se achava longe da casa paterna. Tomou consciência e resolveu voltar e pedir perdão, preparando até um discurso: "Pai, pequei contra Deus e contra o senhor e não mereço mais ser chamado de seu filho. Aceite-me como um dos seus trabalhadores." No entanto, o pai amoroso, quando avistou o filho de longe, foi ao encontro dele e o abraçou, tornando desnecessário o discurso que este havia preparado. O pai então mandou fazer uma festa para comemorar o retorno do filho (cf. Lc 15, 11-23).

É exatamente assim que Deus age conosco quando nos arrependemos e voltamos a Ele. Depois da Ressurreição, Jesus apareceu para os apóstolos, pois eles necessitavam mais do que nunca da Sua cura para superar a tristeza, o medo e o arrependimento por tê-Lo abandonado.

Tomé sentia-se profundamente arrependido, não somente pelo gesto de abandono, como também pela sua incredulidade. Já Pedro, como sabemos, ficara envergonhado e frustrado pela sua covardia em negar o Mestre. Precisou de um momento especial com Jesus, que o curou, restaurando sua confiança, entregando a ele Suas ovelhas. (cf. Jo 21, 15-17).

E o que dizer de Judas Iscariotes, aquele que traiu Jesus por trinta moedas de prata? Em que pese toda a nossa indignação, ele também poderia ter sido beneficiado pela cura de Jesus se não tivesse deixado o peso da culpa e do remorso em sua consciência levá-lo ao ato desesperado de se enforcar...

Foram tantas as pessoas que Jesus curou do sentimento da culpa! Lembro ainda de Paulo de Tarso, personagem fascinante do Novo Testamento. Homem culto, profundo conhecedor e cumpridor das leis judaicas... Antes de se converter ao cristianismo, era conhecido como Saulo e perseguia os seguidores de Jesus. Saulo aprovou a morte de Estêvão. Sua conversão aconteceu na estrada para a cidade de Damasco, hoje capital da Síria, onde teve uma locução de Jesus, que o chamou para ser seu apóstolo, mudando seu nome para Paulo. Paulo tinha consciência de que agira mal em razão da ignorância e da incredulidade e também alcançou a misericórdia (cf. 1 Tm 1, 13). Seu arrependimento profundo e sincero o motivou a dedicar a vida ao serviço do Evangelho.

Como cristão, a vida do Apóstolo Paulo foi marcada por muitos sofrimentos e perseguições. Ele passou por várias prisões, flagelações, apedrejamentos, naufrágios e traições, mas não desistiu. Paulo é um modelo de fé e de coragem. Curado por Jesus, tornou-se o Apóstolo das Nações e nos deixou um legado de ensinamentos, testemunhos e inspirações que ecoam até hoje.

Esses e outros exemplos comprovam que somente Deus pode nos conceder o perdão total e nos restaurar, pois nos ama sem medida e não quer que vivamos sob a opressão da culpa e do remorso. Não foi outro, senão Ele, Quem mandou o próprio Filho, Jesus Cristo, para morrer na Cruz por nós, pagando o preço de nossos pecados e nos oferecendo a cura de nossas feridas interiores e a oportunidade de uma nova vida.

Sim, fazer a travessia para nos libertarmos da dor da culpa e do remorso é possível em Deus!

ORAÇÃO PARA LIBERTAR-SE DA CULPA E DO REMORSO

Deus, Pai de misericórdia e de perdão,
coloco-me diante de Ti, arrependido.
Reconheço que, com minhas faltas e transgressões,
pequei contra ti e contra o meu próximo.
Sei que ofendi o Teu amor e a Tua justiça,
mas sei também que és fiel e justo para me perdoar.
Ajuda-me, Senhor, a me libertar da culpa que corrói e do remorso,
os quais roubam minha alegria e esperança.
Ajuda-me a perdoar a mim mesmo e a reparar meus erros.
Dá-me a graça de viver em comunhão contigo e com o meu próximo,
seguindo Teus mandamentos e os Teus ensinamentos.
Amém.

··········

Escaneie com a câmera do celular o QR Code a seguir e reze com o Padre Manzotti:

{5} CURA DA DEPRESSÃO

A depressão é um dos maiores desafios de saúde mental da atualidade, afetando milhões de pessoas em todo o mundo. Trata-se de uma doença que altera o humor, os pensamentos e o comportamento, causando sofrimento, isolamento, baixa autoestima e pensamentos suicidas, além de comprometer seriamente a qualidade de vida. Esse quadro pode ter diversas causas, como fatores genéticos, estresse, traumas, luto, doenças crônicas, abuso de álcool ou drogas, problemas familiares, financeiros ou profissionais.

A depressão não deve ser confundida com fraqueza, falta de vergonha e, menos ainda, ausência de fé. Ela é uma síndrome: diz respeito a um conjunto de sintomas e sinais que precisa de tratamento médico e psicológico. Mas, além disso, a depressão também se beneficia imensamente do tratamento espiritual.

Sem fazer nenhum tipo de proselitismo religioso, acredito que a crise depressiva pode ser, sim, uma oportunidade de buscar a Jesus Cristo, que é fonte inequívoca de esperança, fé e graça. Isso porque, como tantas passagens da Bíblia atestam, Ele sempre se compadece dos que sofrem, a ponto de se identificar com eles: "Em verdade vos digo que quando o fizestes a um destes meus pequeninos irmãos, a mim o fizestes" (Mt 25, 40).

A pandemia de Covid-19 contribuiu para o aumento significativo de sintomas psíquicos e de transtornos mentais. É impressionante como tenho atendido pessoas com ansiedade e depressão. Por isso, apesar de já ter publicado o livro *Feridas da alma*, no qual, com a ajuda de um psicólogo e de uma profissional graduada em saúde mental, tratamos desse assunto, insisto agora em retomá-lo.

Além de aumentar o conhecimento e a conscientização sobre a depressão, este capítulo visa mostrar de forma mais precisa qual é o papel da espiritualidade na recuperação dos acometidos pelo mal do milênio. Minha intenção é oferecer uma ajuda concreta para a prevenção e o tratamento do problema, construindo uma espécie de guia espiritual para atravessarmos juntos essa dor pungente da alma.

Começaremos pelo fortalecimento de uma base de esperança, fé e graça. Em seguida, apresentaremos as principais formas de desenvolver a espiritualidade por meio da oração, da leitura da Bíblia, da participação na Igreja e de outras práticas que nos conectam a Deus e a Jesus Cristo. Num plano mais estendido, abordaremos o papel da família, dos amigos e da comunidade no suporte permanente da pessoa que sofre com depressão.

SEMPRE HOUVE DEUS PARA NOS ESTENDER A MÃO

A depressão não é uma doença moderna, pois já era conhecida e descrita na Antiguidade, inclusive nas Sagradas Escrituras. Vários personagens bíblicos passaram por momentos de depressão, por diferentes motivos e circunstâncias. Vale rever esses exemplos:

* Noemi, que perdeu o marido e os dois filhos. Ficou sem esperança, sentindo-se amargurada e abandonada por Deus (cf. Rt 1, 20-21).

* Saul, que foi escolhido por Deus para liderar o seu povo e tornou-se o primeiro rei de Israel. Porém, foi desobediente a Deus em várias ocasiões. Saul também foi atormentado por um espírito maligno que causava medo, angústia e violência. A única coisa que aliviava o seu sofrimento era ouvir Davi tocar harpa (cf. 1 Sm 16, 14-23).

* Elias, que foi usado por Deus para realizar grandes feitos, mas sentiu-se cansado, desanimado e abandonado ao ser perseguido e jurado de morte por Jezabel. Chegou a pedir ao Senhor que tirasse a sua vida (cf. 1 Rs 19, 4).

* Jó, que passou por muitos sofrimentos, por angústia e tristeza na alma. Experimentou a amargura crescer em seu coração, a ponto de só pensar na morte. Parecia não encontrar mais solução e sentia um grande pesar (cf. Jó 17, 7).

* Davi, que foi rei de Israel, mas adulterou e foi responsável pela morte do marido da amante. Ele passou por várias tribulações e se arrependeu profundamente de seus pecados. Davi expressou sua tristeza e angústia nos Salmos que compôs.

* Jeremias, instrumento de Deus para uma missão profética, alguém que chegou a lamentar ter nascido e a dese-

jar a morte (cf. Jr 20, 14-18). Em várias passagens do livro das *Lamentações*, ele expressou sua tristeza e angústia. Por causa de suas lágrimas e dores, é conhecido como o "profeta chorão".

Esses são alguns personagens bíblicos que passaram pela depressão. A Bíblia atesta que não foram condenados nem desprezados; antes, Deus esteve atento a essa condição e os ajudou na superação.

Sabemos que se trata de uma enfermidade que não deve ser desprezada ou subestimada, exigindo atenção e cuidado. Muitas pessoas que sofrem de depressão não têm recursos para buscar ajuda profissional ou vivem em lugares onde não há atendimento especializado; sequer possuem acesso a diagnósticos precisos! Isso agrava o problema e dificulta a recuperação.

O Papa Francisco assim se expressou: "A tristeza, a apatia, o cansaço espiritual acabam dominando as pessoas que estão sobrecarregadas com o ritmo da vida atual." E completou: "É imprescindível o acompanhamento psicológico."

Como sempre enfatizamos, o quadro depressivo requer tratamento médico e psicológico e pode ser controlado por meio do uso de medicamentos. Jamais podemos nos esquecer de que os psicólogos e os médicos são importantes instrumentos de Deus para curar as nossas doenças.

Mas, para além dos antidepressivos, também temos de fazer a nossa parte. Deus não nos quer deprimidos, e podemos enfrentar a depressão associando a fé ao tratamento. Eu sempre digo que tomar o remédio prescrito com água benta só faz bem.

Em determinado vídeo, datado de 03 de novembro de 2021, o Papa Francisco fala sobre a depressão como uma doença que afeta muitas pessoas no mundo, especialmente por causa da sobrecarga de trabalho e do estresse. Diz o Papa que se trata de uma ferida na alma que precisa de cuidado, compaixão e acompanhamento. Também afirma que a depressão não é uma vergonha, mas uma oportunidade de se abrir para Deus e para os outros. Ele convida todos os fiéis a rezar pelas pessoas que sofrem desse mal ou de esgotamento extremo, para que recebam o apoio de todos e uma luz que as abram à vida. Ele cita as palavras de Jesus: "Vinde a mim, todos vós que estais cansados e oprimidos, e eu vos darei descanso" (Mt 11, 28).

COMO ATRAVESSAR A DOR DA DEPRESSÃO

O poder de Deus é infinito. Ele pode restaurar a nossa vida e trazer de volta a alegria perdida. O processo de cura pode exigir tempo, mas a paciência tudo alcança. Noutras palavras, para realizar a Sua graça, Deus necessita da colaboração daquele que irá recebê-la, justamente porque respeita a nossa liberdade.

Para receber a cura que Deus quer nos dar, podemos:

* Antecipar-se e buscar ajuda profissional. O tratamento pode ajudar a reduzir e a controlar os sintomas de ansiedade e a evitar o surgimento da depressão. Então, caso esteja com crises de ansiedade muito frequentes, intensas e exaustivas, que prejudicam a saúde mental e causar depressão, não hesite em buscar apoio. Muitas pessoas têm partilhado comigo que estão sofrendo com o medo e descrevem um aperto no

peito que chega a sufocar, além da dificuldade de concentração em suas tarefas e uma preocupação intensa e sem trégua. São reféns da síndrome do "e se": "E se isso não der certo? E se fulano sair com o carro e sofrer um acidente? E se eu perder o emprego?", e assim por diante. São preocupações, por vezes infundadas, que paralisam e causam pânico. "Por isso, não fiquem preocupados com o dia de amanhã, pois o dia de amanhã trará as suas próprias preocupações. Para cada dia bastam as suas próprias dificuldades" (Mt 6, 34).

* Cultivar hábitos alimentares saudáveis e cuidar do corpo com exercícios físicos regulares. Não precisamos "puxar ferro", mas devemos, sim, dentro das nossas limitações, praticar exercícios de forma moderada e prazerosa. Não é para ficar mais esbelto, ter corpo sarado ou realçar a silhueta, mas para obter bem-estar e melhor qualidade de vida. "Porque ninguém odeia o seu próprio corpo; pelo contrário, cada um alimenta e cuida de seu corpo como Cristo faz com a Igreja" (Ef 5, 29). Fazer caminhadas onde se possa observar a natureza também é uma ótima pedida. Mesmo que você não consiga fazê-lo num parque arborizado, experimente no próprio quarteirão onde reside. No início pode ser apenas um quarteirão, depois dois, três... O importante é evoluir desfrutando a beleza da Criação e o amor do Criador. "Aqueles que esperam no Senhor renovam suas forças, voam como águia, correm e não ficam exaustos, andam e não se cansam" (Is 40, 31).

* Cuidar da qualidade do sono. Entregue seus problemas nas mãos de Deus e durma bem. "Eu me deito e durmo tranquilo e depois acordo porque o Senhor me protege" (Sl 3, 5).

* Evitar pensamentos negativos. Cuidado com os diálogos ou monólogos internos. Muitas vezes eles não passam de autocríticas que só servem para nos autodepreciar e nos colocar para baixo. Isso não ajuda. Para vencer a depressão, temos de treinar a mente para produzir pensamentos salutares. "Por último, meus irmãos, encham a mente de vocês com tudo o que é bom e merece elogios, isto é, tudo o que é verdadeiro, digno, correto, puro, agradável e decente" (Fl 4, 8).

* "Filtrar" o que ouvimos e assistimos. Sabe aquele tipo de noticiário que nos deixa deprimidos? Programas, filmes e séries que não nos acrescentam nada? Evitemos, pois, aquilo que nos faz mal ou causa desconforto e priorizemos imagens e conteúdos com mensagens positivas, conversas saudáveis e convivência com pessoas de alma leve. "Tudo é permitido. Mas nem tudo convém. Tudo é permitido. Mas nem tudo edifica" (1 Cor 10, 23). Cada um conhece o seu limite, então para que se expor?

* Não se isolar e sempre conversar com alguém em quem confia. Busquemos sempre auxílio na comunidade cristã, nos grupos de apoio, compartilhando experiências e recebendo conforto. "Ajudem uns aos outros, e assim vocês estarão obedecendo à lei de Cristo" (Gl 6, 2).

Mergulhando ainda mais no plano espiritual: se queremos nos proteger da depressão e atravessar essa tormenta, precisamos estar em plena comunhão com Deus. Aqui estão os caminhos mais eficientes para alcançarmos esse vínculo de unidade com Ele:

* *Oração*. É a melhor forma de expressarmos a nossa confiança em Deus e dialogar com Ele, manifestando o que

sentimos e permitindo que Ele nos fale. "Então, vocês vão me chamar e orar para mim, e eu responderei. Vocês vão me procurar e me achar, pois vão me procurar com todo o coração" (Jr 29, 12-13).

* *Leitura da Bíblia*. A Palavra de Deus nos instrui e revela Seu amor por nós, trazendo força e esperança. Se soubéssemos o tesouro que ela contém e quão edificante é, faríamos do estudo da Bíblia um hábito. Sempre digo aos pais que contem mais histórias sobre passagens bíblicas aos filhos, antes de dormirem. Isso vai sendo internalizado e os fortalece espiritualmente para enfrentarem situações desafiadoras. "Guardo a tua palavra no meu coração para não pecar contra ti" (Sl 118 [119], 11).

* *Vida sacramental*, especialmente a Confissão, que é um sacramento de cura, e a Eucaristia, alimento espiritual para a alma. A Eucaristia nos lembra que não caminhamos sozinhos, pois Jesus Cristo está sempre conosco e nos fortalece com o Pão da Vida, que é Ele mesmo — principalmente nos momentos de mais tribulações. "Quem come a minha carne e bebe o meu sangue permanece em mim e eu nele" (Jo 6, 56). Aqui vale uma observação: a Celebração Eucarística assistida pela televisão só é válida quando estamos impossibilitados de participar presencialmente; o preceito da Missa dominical se cumpre indo até a igreja! Além disso, não se pode comungar com consciência de pecado mortal: antes, é preciso confessar-se. De todo modo, como ensina o Papa Francisco, essa é também uma oportunidade para conhecer outras pessoas, de trocar saudações e compartilhar experiências de vida. Essa celebração cria um sentimento de unidade e solidariedade entre os fiéis que certamente constitui um grande apoio nos momentos difíceis da vida.

Amor ao próximo. A depressão faz com que a pessoa se isole dos amigos, da família e da sociedade, exagerando os aspectos negativos da vida, os problemas, as perdas e as frustrações. Isso gera um sentimento de vazio, tristeza e desesperança, além de pessimismo, amargura e desânimo. O depressivo perde o sentido da vida, sente-se inútil, sem valor e sem motivação. Em contrapartida, o amor ao próximo incentiva a pessoa a se relacionar com os outros e a se sentir parte de uma comunidade, contando com apoio e companhia. Isso eleva o humor, a autoestima e a autoconfiança. O amor do próximo também ajuda a enxergar os aspectos positivos da vida, as oportunidades, as conquistas e as bênçãos, produzindo otimismo, alegria e esperança. A pessoa se sente valorizada e motivada. Fazer o bem faz mais bem ainda àquele que o pratica, porque dessa forma Deus permanece em nós. "Se nos amarmos mutuamente, Deus permanece em nós e o seu amor em nós é perfeito" (1 Jo 4, 12).

Cultivar amizades. O Evangelho de Marcos narra um acontecimento em que Jesus cura um paralítico. Nessa passagem, algo muito interessante me chama a atenção: o homem incapaz de se locomover é levado até o Mestre numa maca carregada por quatro amigos. Quando eles chegaram ali onde Jesus se encontrava, não conseguiram entrar, porque o número de pessoas era muito grande. Então, descem o homem pelo telhado. Sem dúvida, essa passagem expressa com maestria o que se pode entender por senso colaborativo: enquanto Jesus está pregando, surge na Sua frente um homem numa maca, descido pelo telhado com a ajuda de todos. E Jesus cura aquele homem (cf. Mc 2, 1-5). Geralmente, ao lermos esse texto, prestamos a atenção em Jesus, que diz: "Teus pecados estão perdoados." Porém, benditos aqueles quatro amigos que não desistiram e tiveram ousadia na fé! Será que temos amigos que, se um dia estivermos doentes, estarão prontos a nos socorrer, não importando quais sejam as dificuldades e as próprias limitações?

Não pensemos que atravessar a dor da depressão seja simples. A tristeza e a desolação são estados de ânimo que acometem sacerdotes, religiosos, médicos, enfermeiros, donas de casa e santos. Cheguei a conhecer alguns padres que, recentemente, tiraram a própria vida.

Então, se na sua família houver alguém que esteja passando por essa doença, tenha empatia, ou seja, demonstre acolhimento, carinho, paciência e misericórdia. Se as pessoas mais próximas não agirem de maneira empática, aquele que sofre com a depressão se sentirá muito pior.

Na prática, não precisamos dizer nada, mas deixar a pessoa falar e desabafar, caso se sinta confortável. Dê essa abertura para que ponha para fora as próprias dores e, depois, sugira rezar com ela o Salmo 61 (62), o qual se dirige diretamente a quem está abatido e reforça a confiança vitoriosa do salmista em Deus. Incentive-a a buscar ou a continuar com o tratamento médico e psicológico e relembre as curas de Jesus, como foi o caso da sogra de Pedro: Jesus chegou, pegou-a pela mão e a levantou. Vocês podem tomar um suco ou um café e rezarem juntos, deixando marcados os horários para fazerem isso com frequência.

Como já disse, muitas vezes quem sofre de depressão se sente sem valor, sem fé e sem sentido. Por isso, jamais podemos achar que esse quadro é fingimento, "frescura"; nosso papel é, antes, fazer uma escuta ativa e, na medida do possível, sermos "enfermeiros espirituais".

Pouco se comenta sobre isto, mas a depressão não é uma condição que impede alguém de buscar a santidade. Pelo contrário, existem muitos exemplos de santos que enfrentaram a depressão com coragem, confiança e amor a Deus:

* Santo Agostinho, um dos maiores doutores da Igreja. Antes de se converter ao cristianismo, ele viveu uma vida de pecado e vaidade, buscando a felicidade nas coisas passageiras do mundo. Sentia-se vazio, angustiado e insatisfeito. Após ouvir uma pregação de Santo Ambrósio e de ler as Sagradas Escrituras, converteu-se e encontrou a verdade e a paz em Cristo. Tornou-se um grande doutor da Igreja e nos presenteou com uma belíssima afirmação em suas *Confissões*: "Fizeste-nos para ti, Senhor, e o nosso coração está inquieto enquanto não repousa em ti."

* Santo Inácio de Loyola, o fundador da Companhia de Jesus. Ele experimentou a depressão em várias ocasiões de sua vida. Passou por momentos de conflito espiritual, emocional e físico que o fizeram se sentir triste e desanimado. Viveu uma fase de depressão bem difícil, que descreveu em seus *Exercícios espirituais* como "uma grande desolação". Nesse tempo, foi provado pelo Diabo, chegando a questionar a própria salvação e a perder a esperança. Pensou em tirar a própria vida, mas superou essa situação com o auxílio da Graça divina. Deus o retirou do abismo das trevas por meio da oração. Na passagem denominada "Regras para sentir com a Igre-

ja", ele nos deu três conselhos para reagir à desolação que ainda são válidos: primeiro, não desistir nem alterar uma boa resolução anterior. Permanecer firme nos propósitos, fiel a Deus e às virtudes; segundo, intensificar a conversa com Deus na oração, na meditação e nas boas obras; terceiro, perseverar com paciência: examinar a origem e o remédio da desolação com a ajuda de alguém e dos meios espirituais.

* São Francisco de Sales, bispo e doutor da Igreja. Conhecido como o santo da amabilidade, também passou por momentos de tristeza e desânimo. Quando era jovem, teve pensamentos trevosos, segundo os quais não alcançaria o Céu e estaria condenado ao Inferno. Perdeu o apetite, emagreceu, não dormia. Isso abalou sua saúde, o que fez com que perdesse muito peso. Os mais próximos tinham medo de que enlouquecesse! Ele se colocou diante de Deus e disse: "Não me interessa que me mandes todos os suplícios que queiras, contanto que me permitas seguir te amando sempre." Então, conseguiu recuperar a paz interior confiando na bondade de Deus e na intercessão da Virgem Maria. Em seu livro intitulado *Introdução à vida devota*, ele aconselha: "Não se deixe abater pela tristeza nem se atormente com pensamentos inquietos." E ainda: "Refresque-se com músicas espirituais, que muitas vezes provocaram o demônio a cessar as suas artimanhas, como no caso de Saul, cujo espírito maligno se afastou dele quando Davi tocou sua harpa perante o rei. Também é útil trabalhar ativamente, e com toda a variedade possível, de modo a desviar a mente da causa de sua tristeza."

* Santa Joana de Chantal, uma mulher de grande fé que enfrentou a depressão após perder o marido. Com apenas 28 anos, ficou viúva com quatro filhos pequenos para criar. Teve de conviver com o sogro, cujo temperamento era muito difícil, manifestando vaidade e teimosia em excesso. Foi uma convivência sofrida, que a fez se sentir triste e sem esperança. Superou a depressão com a ajuda de São Francisco de Sales, que se tornou seu guia espiritual e amigo. Apesar do sogro "cão", do desprezo e das humilhações, ela não se vitimizou e conquistou a paz interior com amabilidade, caridade e compreensão. Apoiada e encorajada por São Francisco de Sales, seguiu sua vocação religiosa e, juntamente com ele, fundou a Ordem da Visitação de Santa Maria.

* Santa Edith Stein, também conhecida na Igreja como Santa Teresa Benedita da Cruz. Esta é uma daquelas santas cuja trajetória é mais recente do ponto de vista histórico. Ela nasceu numa família judia, cresceu como ateia, converteu-se ao cristianismo, tornou-se carmelita e morreu em Auschwitz. O Papa Francisco a definiu como "mártir, mulher de coerência, mulher que busca a Deus com honestidade, com amor, e mulher mártir de seu povo judeu e cristão".

Admirada por sua inteligência e sua erudição, foi uma das primeiras mulheres a obter um doutorado em filosofia e a trabalhar como professora universitária. Por longo período, sofreu com a depressão. Em seus escritos, ela menciona: "Encontrei-me gradualmente em profundo desespero... Eu não podia atravessar a rua sem querer que um carro me atropelasse e eu não saísse viva dali." Encontrou em Deus o refúgio de toda a angústia e a fonte de toda graça. Num de seus vários escritos, ela atesta: "A verdadeira paz só pode ser encontrada em Deus, que é a fonte de toda a harmonia e equilíbrio e nos concede a paz interior que supera todo entendimento."

* Santa Teresinha do Menino Jesus, a nossa querida santinha da pequena via. Conhecida pela pureza e pela doçura da sua espiritualidade, bem como pelo abandono confiante em Deus, registrou em seus escritos que sofria de uma doença que, pelos sintomas, assemelham-se aos da depressão. Segundo ela narrou, na Festa de Pentecostes de 1883, sentia uma agonia na alma que não sabia explicar; em seu leito, virou o olhar e lhe apareceu a Santíssima Virgem. E descreveu: "Apareceu-me bonita, tão bonita que nunca vira algo semelhante. Seu rosto exalava uma bondade e uma ternura inefáveis, mas o que calou fundo em minha alma foi o sorriso encantador da Santíssima Virgem."

Nossa Senhora não disse nada, apenas deu um sorriso. Bastou isso para que a angústia e o pesar de Teresinha se fossem. Santa Teresinha a chamou de Nossa Senhora do Sorriso e propagou essa devoção dentro e fora do Carmelo.

Esses são apenas alguns exemplos de santos que sofreram com a depressão, mas não se renderam a ela e conseguiram atravessar essa dor. Eles nos mostram que essa condição não é um obstáculo à santidade, mas uma oportunidade para aumentar a confiança em Deus e a compaixão pelos outros.

Como atestou São João da Cruz: "Lembre-se de Cristo Crucificado e silencie. Viva na fé e na esperança, mesmo que seja às escuras, pois nestas trevas Deus ampara a alma."

Os santos curados da depressão nos ensinam que Deus está sempre conosco, mesmo nas horas mais escuras e difíceis da nossa vida. Cabe a nós abrirmo-nos à Sua graça para experimentarmos o Seu amor e, assim, alcançarmos a Sua cura.

ORAÇÃO PARA SUPERAR A DEPRESSÃO

Senhor Jesus, eu coloco nas Vossas Santas Chagas todos os enfermos.
Vós que, pela Vossa Palavra e pelo toque de Vossas mãos, curastes cegos, paralíticos, leprosos e tantos outros doentes....
Animado pela fé, eu também venho suplicar por estes enfermos cujos nomes lembro agora...
Peço-vos, Senhor, pelas Vossas Santas Chagas,
que cureis os corações angustiados e os liberteis da depressão.
Concedei-lhes, Senhor, pelas Vossas Santas Chagas,
a perseverança na oração, apesar do desânimo próprio da doença.
Dai-lhes, pelas Vossas Santas Chagas, a resistência na dor e a força diante das dificuldades do tratamento.
Senhor Jesus, que tomastes sobre Vós os nossos sofrimentos e suportastes as nossas dores, eu vos imploro
pelos meus irmãos doentes: fortalecei a sua paciência e reanimai a sua esperança, para que possam, com a Vossa bênção, superar a enfermidade e alcançar um completo restabelecimento.
Senhor, confiante, eu coloco também as minhas próprias enfermidades nas Vossas Santas Chagas Redentoras.
Dai-me a graça de perceber a transitoriedade desta vida e entender que o pecado é a maior de todas as enfermidades.

Que eu tenha a compreensão de que no sofrimento humano se completa a Vossa Paixão Redentora.
Pelas Vossas Santas Chagas, livrai-me da depressão.
Pelas Vossas Santas Chagas, curai as minhas chagas do corpo e da alma.
Amém.

Escaneie com a câmera do celular o QR Code a seguir e reze com o Padre Manzotti:

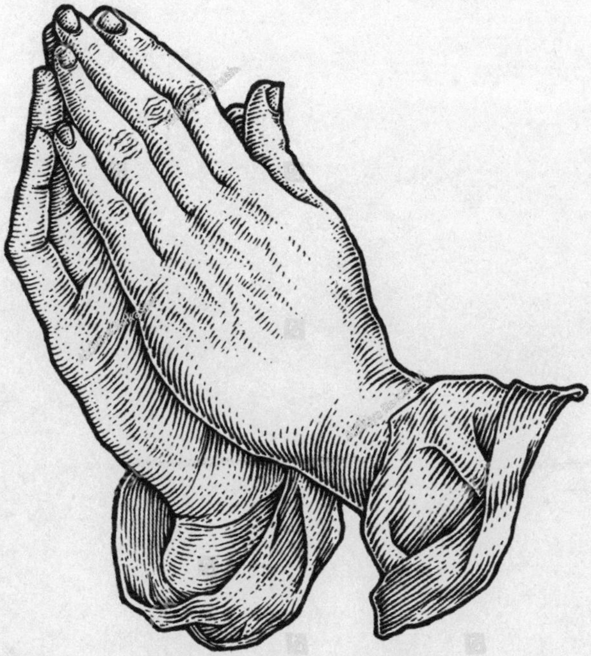

{6} CURA DAS FERIDAS DA VIDA CONJUGAL

O casamento é uma união de duas pessoas que se comprometem, perante Deus, a se amar e a se respeitar por toda a vida. No entanto, nem tudo é um "mar de rosas" na vida a dois.

Na verdade, são muitos os obstáculos que podem abalar a harmonia e a felicidade do casal, como a mentira, os "modismos", as comparações, a interferência de familiares e amigos, os comentários desrespeitosos, as brigas, as dificuldades financeiras, o excesso de trabalho, os conflitos com os filhos e, principalmente, a falta de comunicação. Esses obstáculos podem gerar ressentimentos, mágoas, desconfiança e até mesmo separação.

Não tenho receio de generalizar ao afirmar que a vida a dois, mais do que nunca, precisa ser curada. Entre as partilhas que recebo em razão do meu ministério sacerdotal, grande parte delas diz respeito aos desafios da vida conjugal. E, muitas vezes, enquanto eu rezava por alguns casais, Deus me dava a entender que marido e mulher simplesmente não sabiam o que de fato estava acontecendo. O problema estava "escondido debaixo do tapete", como se diz popularmente, e então eu me perguntava como é possível haver cura se nem sequer sabemos qual é o mal que nos aflige.

Há uma frase na Bíblia que diz assim: "Tudo o que está escondido será colocado às claras" (Mc 4, 22). E, a meu ver, isso é meio caminho andado em direção à cura. Mas por quê?

Porque saber é poder, mas não aquele poder mundano, maldito, que corrompe corações e mentes. Falo de poder no sentido de atitude, de ter meios para agir, de encarar o mal de frente e encontrar formas de derrotá-lo em Deus. E também não podemos nos esquecer de que todo lixo, por mais acondicionado ou escondido que esteja, ainda exala mau cheiro, atravanca. Com o lixo emocional ocorre exatamente o mesmo, pois ele nos atrapalha e nos paralisa.

Então, pare e pense: quais são os seus lixos emocionais?

Sim, refiro-me àquele "resto de tudo" que ainda está preso dentro de você e do qual, muitas vezes, nem a sua consciência se deu conta. A mente humana, enquanto criação de Deus, é tão perfeita e eficiente que, para que consigamos suportar os reveses, cria "capas de defesa" para nos preservar. Contudo, esse imbróglio não desaparece completamente: ele continua lá, escondido em algum lugar, e, quando menos esperamos, pode vir à tona e atuar como um verdadeiro tsunami, seja no plano individual, seja na relação conjugal.

Dito isso, volto a perguntar quais partes da sua vida conjugal precisam ser iluminadas e purificadas?

A título de inspiração, reproduzo aqui uma das orações

mais poderosas que fazem parte do rito do casamento. Chama-se "Bênção nupcial":

Ó Deus todo-poderoso, vós criastes todas as coisas e, desde o princípio, ordenastes o universo; criando o ser humano à vossa imagem, quisestes que a mulher fosse para o homem uma companheira inseparável, de modo a já não serem dois, mas uma só carne, ensinando-nos assim a nunca separar o que criastes na unidade.

Ó Deus, santificastes misteriosamente a união conjugal, desde o princípio, a fim de prefigurar no vínculo nupcial o mistério de Cristo e da Igreja.

Ó Deus, vós unis a mulher ao marido e dais a esta união estabelecida desde o início a única bênção que não foi abolida, nem pelo castigo do pecado original, nem pela condenação do dilúvio.

Volvei o vosso olhar de bondade sobre estes vossos filhos, que, unidos pelo vínculo do matrimônio, esperam ser fortalecidos pela vossa bênção: enviai sobre eles a graça do Espírito Santo, para que, impregnados da vossa caridade, permaneçam fiéis na aliança conjugal.

O amor e a paz permaneçam no coração da vossa filha; e ela busque o exemplo das santas mulheres, exaltadas com louvores nas Sagradas Escrituras. Nela confie o seu marido; e este saiba honrá-la com a devida estima, reconhecendo-a companheira e coerdeira da vida divina, amando-a com aquele amor com que o Cristo amou a sua Igreja.

Nós vos pedimos, ó Pai, que estes vossos filhos permaneçam firmes na fé e amem os vossos mandamentos; que se conservem fiéis um ao outro e sejam para todos um exemplo.

Animados pela força do Evangelho sejam entre todos verdadeiras testemunhas de Cristo. Sejam fecundos em filhos, pais de comprovada virtude, e possam ver os filhos de seus filhos.

Enfim, após uma vida longa e feliz, alcancem o Reino do Céu e o convívio dos santos.
Por Cristo, nosso Senhor.

Sem dúvida, essa prece carrega em si uma grande força... Mas, então, por que motivo tantos casamentos não dão certo?

Porque os casais não vivem aquilo a que se propuseram e, para piorar, nas tribulações do dia a dia, esquecem de pedir a Deus para curar suas emoções.

Já disse antes e repito: Deus quer curar as feridas da nossa vida emocional. Sim, compartilhar a vida com alguém não é fácil, mas posso garantir que ser padre também não é. Ser viúvo ou viúva implica dificuldades mil, assim como ser solteiro. Os obstáculos existem em todos os caminhos que trilhamos. Contudo, uma coisa é certa: precisamos de harmonia para seguir em frente. Se numa orquestra um dos integrantes sai do ritmo, tudo vira uma bagunça e fere nossos ouvidos, provocando um verdadeiro desastre. Quando, por outro lado, todos os músicos tocam harmonicamente, a música deleita nossa alma. Podemos trazer essa mesma correlação para a família e, mais especificamente, para o casamento: se o marido está seguindo determinado ritmo e a esposa, outro, os tropeços são inevitáveis, e não há futuro possível.

Volto a este trecho da oração "Bênção nupcial": "(...) dais a esta união estabelecida desde o início a única bênção que não foi abolida, nem pelo castigo do pecado original, nem pela condenação do dilúvio." Essa passagem comprova que, no plano da Salvação, Deus continua validando o casamento e faz tudo para que dê certo.

O casal, por sua vez, precisa fazer a sua parte e cultivar o amor que os uniu. Repito: muitas são as forças internas e externas que atrapalham a união, mas é preciso voltar ao amor. Sejam quais forem os percalços, uma certeza é absoluta: Jesus quer curar o casamento, lembrando que somente Ele é o caminho, a verdade e a vida (cf. Jo 14, 6).

OBSTÁCULOS AO CASAMENTO E COMO ATRAVESSÁ-LOS

Os obstáculos enfrentados pelo casamento são os problemas que dificultam ou prejudicam a harmonia, a convivência e a alegria do casal. Um dos mais recorrentes é a mentira, cujo pai é o Diabo. A mentira em si já é uma excrecência da conduta humana, mas, além disso, pode levar ao ciúme, a traições e, por fim, ao divórcio.

Por menor que seja a mentira, ela gera desconfiança. Da parte daquele que mente, acaba por se tornar uma espécie de vício: a fim de encobrir uma farsa, cria-se outra, e assim por diante, podendo até evoluir para um comportamento patológico que a psicologia define como mitomania.

Para piorar, a pessoa que convive com o mentiroso também adoece, tornando-se magoada e ressentida. Ela nunca se sente segura para acreditar nas "narrativas" — usando uma palavra da moda — contadas pelo marido ou pela esposa. Fica sempre com aquela "pulguinha atrás da orelha".

Você já prestou atenção em como o mentiroso floreia? Quanto mais capricha na mentira, mais se sente enredado e mente cada vez mais, porque, como já disse, a mentira é viciante. Parece que o mentiroso sente um prazer mórbido em supervalorizar a própria esperteza e subestimar a do parceiro.

Muitas vezes, o outro até percebe que está sendo vítima de uma mentira; mas, por carência e para preservar a relação de mais atritos, aceita viver assim. Lamento dizer, mas ambos terão prejuízos na saúde mental e até na saúde física.

Repito: Jesus quer e pode curar o casamento, mas existem alguns passos que o casal deve dar. O principal deles consiste em conversar com sinceridade e se perdoar mutuamente. Aquele que mente tem de reconhecer que a mentira é um comportamento errado e se comprometer a mudar. E, da outra pessoa, espera-se o esforço para voltar a confiar. Esse é o processo de cura.

Outro obstáculo é o modismo excessivo de cada época. Sempre recomendo aos casais que tomem muito cuidado com essa necessidade de seguir modelos de comportamento apenas porque alguém conhecido ou famoso revela praticá-lo. Muita gente de destaque, para obter atenção, fala qualquer coisa de diferente apenas para "romper com coisas antiquadas" etc. Ora, a instituição do casamento não é "antiquada", ela é eterna porque Deus é eterno!

Roupas extravagantes constituem outro modismo questionável. Não se trata de moralismo. Há pessoas que amadureceram mal e querem viver uma "adolescência tardia". Isso vale tanto para o homem que, do nada, passa a se achar um "boyzinho" quando está mais para um "caramujo enrugado", quanto para as mulheres, que querem se vestir como a boneca Barbie, usando roupas muito justas e decotadas até mesmo para ir à Missa. Não se trata de patrulhamento dos bons costumes, mas tem de haver bom senso.

As comparações também constituem um obstáculo a ser curado. Deve-se evitar comparar a esposa ou o marido com outras pessoas. Ela é como é, e ele também. Toda comparação é perigosa, pois projeta um ideal ou subentende uma crítica. Não me refiro apenas à beleza física, mas também a aspectos comportamentais, profissionais, financeiros etc. Por exemplo, quando um dos parceiros é comparado com alguém mais "bem-sucedido". Isso provoca naquele que é o alvo da comparação um rebaixamento na autoestima, um gosto amargo de fracasso.

As redes sociais hoje em dia despertam uma falsa ilusão. Nossa vida não é como aquela que é postada nas fotos e vídeos do Instagram. Ninguém de verdade acorda impecável e vai tomar uma xícara de café numa linda mesa posta. Ora, será que esse povo não vai ao banheiro quando acorda? Na vida real, levantamos com a "cara amassada", o cabelo desgrenhado, "bafo de onça" — e isso não é "porquice", mas simplesmente algo natural!

O curso da vida imprime marcas físicas em cada um. Quando se ama, ama-se as rugas, a barriguinha de chope, a carequinha e os cabelos brancos. Tudo isso faz parte do processo de amadurecimento conjugal.

Seguindo na listagem dos principais obstáculos, como não mencionar o famigerado "pitaco dos parentes"? Quando alguém se casa, não precisa romper com os laços pregressos; o esteio familiar é muito importante, mas não pode se transformar num problema a mais, a ponto de uma das partes se indispor com os sogros ou os cunhados. É lógico que a esposa ou o marido podem ficar ofendidos se alguém da sua família, como pai, mãe ou irmão, for tratado de forma inconveniente, grosseira, pelo próprio companheiro ou companheira. Guardadas as devidas proporções e ressalvando as circunstâncias, atacar um parente tão íntimo soa como ofender o próprio cônjuge, e a reação tenderá a vir na mesma medida. Então, pensar antes de falar e agir é o mínimo que se pode esperar de quem optou por dividir a vida com outra pessoa por amor.

O obstáculo do ressentimento, por sua vez, já nos remete a águas mais profundas e a uma dor que, como já vimos, se não for curada, costuma ser fatal para todas as relações humanas, incluindo o casamento. Colecionar mágoas não resolve problemas. Então, uma vez entabulado o "papo reto" e concedido o perdão, que não se volte mais ao assunto. Simples assim. Voltar a discutir o problema é sinal de que o ressentimento persiste. Jesus quer fazer correr essas águas paradas e curar, mas a nossa parte também precisa ser feita. Quem fica remoendo fatos doloridos e lembranças antigas propositadamente faz com que a ferida se abra, sangre mais uma vez e não cicatrize nunca.

A propósito, comentemos sobre o obstáculo do desrespeito. E, quanto a ele, não pode haver condescendência: qualquer desrespeito é uma forma de violência. Então, todo cuidado é pouco com a forma como os cônjuges se tratam. Gritos, ofensas e palavrões ofendem muito, assim como ironias, perguntas e comentários capciosos, desconfianças e cobranças infundadas. Eis por que é preciso aprender a "frear a língua" e manter o respeito. Se isso estiver acontecendo no seu casamento, não tergiverse e vá direto ao ponto. "Chame na chincha" e intime: "Marido ou esposa, nós não vamos mais ofender um ao outro, porque isso não é de Deus."

Se o outro duvidar ou questionar, leia em voz alta esta passagem: "Abandonem toda amargura, todo ódio e toda raiva. Nada de gritarias, insultos e maldades! Pelo contrário, sejam bons e atenciosos uns para com os outros. E perdoem uns aos outros, assim como Deus, por meio de Cristo, perdoou vocês" (Ef 4, 31-32).

O intuito é parar de destruir a relação e construir uma vida a dois baseada no diálogo. Brigas surgem porque os mal-entendidos não estão devidamente esclarecidos. Uma boa conversa alinha tudo.

O modo pelo qual os casais se portam e se tratam precisa denotar respeito, atenção, cuidado e carinho de um com o outro. "Por estarmos unidos com o Senhor, nem a mulher é independente do homem, nem o homem é independente da mulher" (1 Cor 11, 11).

Outro fator que pesa é a situação financeira. Os casais costumam enfrentar dificuldades no relacionamento quando um dos parceiros — ou ambos — não sabe administrar bem o dinheiro, gasta mais do que recebe, contrai dívidas em excesso, tem opinião diferente sobre como usar os recursos, entre outras dissonâncias que geram tensão e conflito. E acredite: as brigas podem ocorrer tanto quando existe dinheiro sobrando quanto em caso de ausência de meios. A forma mais adequada de lidar com a vida financeira dentro do casamento é levar em conta a renda de cada um e desenvolver um planejamento em conjunto; afinal, o combinado não sai caro nem barato, não é mesmo? Sem esquecer dos votos: "(...) na alegria e na tristeza, na saúde e na doença, na riqueza e na pobreza..."

E o que dizer da incompatibilidade de gênios? Esse é outro obstáculo que muitos alegam como motivo de separação. Sinceramente, acredito que a cura de Jesus à qual estou me referindo ao longo deste livro possibilite reverter essa incompatibilidade, porque todo gênio é passível de ser domado. Pessoas de temperamento forte, quando realmente dispostas, conseguem se controlar. Ou seja, é possível curar-se.

O ser humano é capaz de se adaptar a tudo; então, ainda que tenhamos vivido até certo ponto da vida como gênios indomáveis, podemos adestrar nossa mente e nossas emoções para agirmos de forma gentil e delicada. Acostumar-se a fazer e receber elogios, por exemplo, não é indício de docilidade excessiva ou fraqueza. É reconhecimento — a tal "carícia positiva" que faz tão bem ao espírito. Talvez seja isso que esteja faltando em nossos lares: propagar mais carícias positivas. Elogiar uma comida bem preparada, o cuidado com a casa, um novo corte de cabelo, a escuta que o outro oferece... Eu duvido que não haja qualidades a serem notadas e validadas pelo marido na esposa e vice-versa.

Muitos acham que fazer um elogio não é necessário, pois ele ou ela sabe do amor que compartilham. Ledo engano. A crueza do dia a dia e a ação insidiosa do Inimigo vão corroendo essa certeza, e, quando menos percebemos, ela se foi. Se tem uma coisa que o Diabo faz de maneira exemplar é minar a segurança do amor.

Por isso, maridos e esposas, pelo amor de Deus, troquem elogios, sejam gentis, valorizem o esforço que a outra pessoa faz!

Aproveito este gancho para lembrar que não se deve valorizar o outro só pela aparência física, pois não existe casal verdadeiramente feliz se um não reconhecer no outro a beleza interior. Infelizmente, hoje existe uma corrida desenfreada por corpos e rostos ideais, haja vista a popularização da tal harmonização facial, que inclui até a mudança radical de dentes e de sorriso. É importante manter o que antigamente se chamava de "boa aparência", mas ultimamente as pessoas estão exagerando nos procedimentos estéticos e chegando a ficar sem expressão. Rindo, chorando, com raiva ou medo, o semblante é sempre o mesmo, uma expressão "plastificada" em que os músculos da face mal se movem e os lábios volumosos lembram os contornos da boca de um peixe ou de um pato.

Não é errado fazer procedimentos para melhorar a aparência, desde que isso não seja prioridade em nossa vida. Acho válido corrigir algo que não agrada e vai fazer a pessoa se sentir bem consigo mesma. Porém, se a cada ruguinha nova temos de ir correndo aplicar botox e, ao menor sinal de celulite, recorrer a uma cirurgia de lipoaspiração, é preciso ligar o sinal de alerta. Zelo pela saúde física é importante, mas cuidado com os exageros. Há uma linha cada vez mais tênue entre o belo e o ridículo.

Por outro lado, o desmazelo também deve preocupar. Por exemplo, cabelo ensebado e sujo acaba com a atração de qualquer um. O mesmo vale para alguém vestido com roupa amassada, encardida, cheirando mal... Eita coisa desanimadora!

Quero deixar bem claro que o desmazelo não é decorrente de baixa instrução, falta de dinheiro ou idade. Asseio não exige *pedigree*. Aquele que tem amor-próprio e autoestima saudável se cuida e faz isso também em respeito ao seu cônjuge.

Esses dias aprendi que, na dinâmica do casamento, as pessoas costumam se alocar em dois tipos de caixinhas. Uma delas é a "caixinha do nada". O marido ou a esposa entra nela quando chega em casa e não conversa com ninguém, esquece que ficou o dia inteiro ausente, não interage com o cônjuge e gruda na frente da televisão, embora também não esteja nem um pouco interessado ou interessada na programação. Consulta o celular o tempo todo. Os filhos ficam ali, carentes de um abraço, de contar como foi o dia na escola, o que aprenderam... Passam despercebidos. A família não passa de uma paisagem, assim como as paredes da casa, enquanto essa pessoa continua lá na "caixinha do nada", alheia a tudo à sua volta.

A outra dinâmica igualmente perigosa consiste em manter-se na "caixinha da reclamação". Conheço pessoas que andam com essa caixinha o tempo todo debaixo do braço. Só abrem a boca para reclamar. Se está sol, lamentam porque não choveu. Criticam o cônjuge o tempo todo, seja porque fez algo, seja porque deixou de fazer. Reclamam de dor, do trânsito, do trabalho e de qualquer objeto fora do lugar.

A idade passa e nos tornamos mais ranzinzas, adquirimos algumas manias, mas... alto lá! Guardemos a língua na boca!

Não podemos viver reclamando, sempre insatisfeitos com a vida, intolerantes com tudo. Ninguém aguenta conviver com a chatice em pessoa. A vida a dois pode e deve ser mais leve e prazerosa.

A Palavra de Deus nos dá um roteiro de cura para isso: "Estejam sempre alegres, orem sempre e sejam agradecidos a Deus em todas as ocasiões. Isso é o que Deus quer de vocês por estarem unidos com Cristo Jesus" (1 Ts 5, 16-18).

Você pode argumentar: "Padre, eu não estou sempre contente! Há momentos em que isso não é possível..."

É verdade! Contudo, podemos ser pessoas mais leves até mesmo nas adversidades. Todo relacionamento é desafiador, mas fica mais fácil atravessar os obstáculos e a dor que eles provocam com amor, respeito, fidelidade, comunicação e compreensão — sem também descuidar da oração, pois um casal que reza unido tem mais força para vencer os percalços.

Ainda há um ponto que não podemos esquecer, que é o aspecto procriativo do matrimônio. Sabemos que, atualmente, muitos casais se fecham à vida. Preferem ter um *pet* de estimação, o qual tratam como uma criança, a assumir a responsabilidade de serem pais. Isto também fere a vocação matrimonial. Em sua exortação apostólica *Amoris laetitia* (cf. nn. 14-18), Papa Francisco fala sobre os filhos como um dom de Deus para os casais, que devem acolhê-los com amor, responsabilidade e generosidade. Ele reconhece que, em algumas situações, os casais podem ter dificuldades para conceber ou adotar e os encoraja a confiar na providência divina e a buscar apoio na comunidade eclesial. O Papa conclui este trecho da exortação com uma reflexão sobre a beleza da adoção e da acolhida de crianças que precisam de uma família. Também louva as famílias que acolhem crianças com deficiência, vítimas de guerra, migrantes ou refugiados, e as considera um sinal profético do amor de Deus.

Por último, reservei a parte final deste capítulo para abordar algo preocupante e que ultrapassa a dimensão de obstáculo. Trata-se do relacionamento abusivo, que, infelizmente, tem sido visto com certa frequência. Confesso que, embora eu seja um defensor fervoroso da tese de que é preciso lutar pelo casamento, sinceramente nesse caso vejo uma imensa dificuldade para a união.

O relacionamento abusivo ocorre quando um dos cônjuges se aproveita da fragilidade do outro, tanto do ponto de vista físico quanto emocional e financeiro, a fim de subjugá-lo e exercer sobre ele um tipo de poder. Essa dominação causa uma pressão tão nefasta que o dominado passa a viver no medo, na insegurança, no isolamento e na dependência.

Vou me ater aqui à situação que mais verificamos na prática: a do relacionamento abusivo em que a esposa é vítima do marido. Embora não envolva agressões físicas ou verbais, o abuso emocional é, nesse âmbito, um dos mais perversos, porque age sobre a saúde mental da vítima. De forma gradativa, o abusador coloca em prática um método de desqualificação, chantagem e manipulação contra a esposa ou namorada. Aos poucos, ela vai perdendo a capacidade de identificar e julgar o que é ou não admissível — e pior, passa a se sentir responsável pelo que acontece. Enquanto isso, o marido ou namorado continua no controle da situação, negando ou distorcendo os fatos para que a vítima passe por desequilibrada.

Já soube de casos em que o abuso veio disfarçado por elogios capciosos: "Eu te amo, mas você está envelhecida..."; "Você é tão inteligente, mas não consegue fazer nada direito", e por aí vai...

Ainda como exemplos corriqueiros, posso citar aquela implicância recorrente sempre que a mulher visita os parentes ou estes vêm até a sua casa; o mesmo ocorre em pequenas reuniões com amigos ou conhecidos dela, em que o homem chega com uma "cara amarrada", não se entrosa e ainda constrange a companheira, interrompendo-a quando está falando ou respondendo a ela de forma áspera e grosseira. São práticas naturalizadas que, muitas vezes, a vítima nem percebe, mas fazem parte de uma estratégia deliberada para desqualificar a mulher e fazer com que fique cada vez mais isolada e fragilizada, tornando-se mais "controlável".

O abuso sexual, por sua vez, é tão vil e abjeto que nem sei como descrever o sentimento relatado pelas vítimas. Você pode pensar que eu, enquanto padre, não deveria tocar nesse assunto, mas o que vou mencionar aqui também já chegou ao conhecimento de todas e todos que me acompanham pelo rádio. São maridos que pressionam as esposas para práticas sexuais similares àquelas vistas em sites pornográficos; ou que, alcoolizados e agressivos, forçam a própria mulher a fazer sexo contra a vontade, não raro por meio de chantagem e coação. Abuso físico é crime e tem de ser denunciado.

Ninguém deve submeter-se a levar adiante um relacionamento com práticas abusivas. Esse comportamento se tornou comum, mas não é aceitável. É tão grave que justifica, aos olhos da Igreja, a separação física do casal.

Termino este capítulo da mesma forma como o iniciei, afirmando, sem medo de errar, que, para atravessar as dores do relacionamento e curar o casamento, é preciso voltar ao amor — aquele que emana de Deus, de Quem nunca deveríamos nos afastar. Trata-se do amor que leva à lealdade, ao respeito, à amizade, à compreensão, ao perdão e ao apoio mútuo. Como atestou São Paulo: "O amor é paciente, o amor é bondoso. Não tem inveja. O amor não é orgulhoso. Não é arrogante. Nem escandaloso. Não busca os seus próprios interesses, não se irrita, não guarda rancor. Não se alegra com a injustiça, mas se rejubila com a verdade. Tudo desculpa, tudo crê, tudo espera, tudo suporta" (1 Cor 13, 4-7).

Acredite: Jesus pode curar os corações feridos e restaurar o amor.

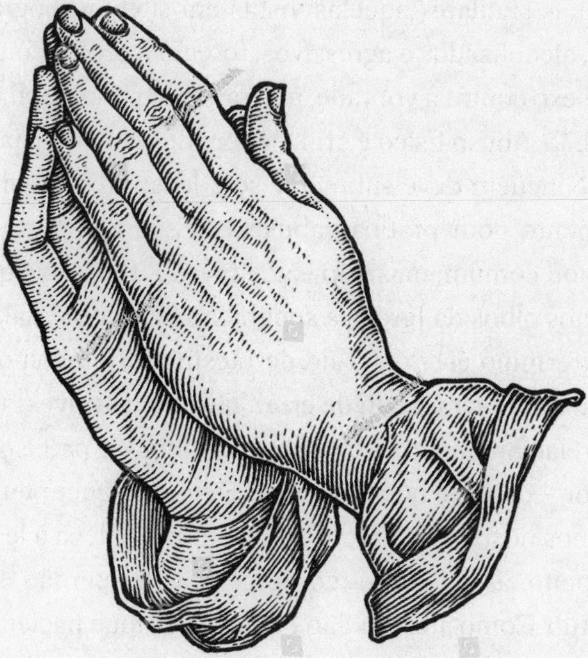

ORAÇÃO PELA CURA DAS FERIDAS CONJUGAIS

Senhor, nós te pedimos perdão pelas nossas falhas,
pelos nossos erros, pelas nossas mágoas
e pelos ressentimentos que feriram o nosso casamento.
Ajuda-nos, Senhor, a superar na fé as dificuldades,
os conflitos e as crises que enfrentamos.
Ensina-nos a dialogar, a compreender,
a respeitar e a apoiar um ao outro.
Livra-nos, Senhor, da mentira, da infidelidade,
das tentações e influências negativas que podem prejudicar nossa união.
Concede-nos, Senhor, a graça da cura
e a libertação de todas as feridas conjugais.
Dá-nos a graça da reconciliação,
da restauração, da renovação do nosso amor.
Orienta nossas decisões e santifica nossas ações.
Abençoa-nos com saúde, prosperidade e sabedoria,
e dá-nos a Tua paz.
Amém.

Escaneie com a câmera do celular o QR Code a seguir e reze com o Padre Manzotti:

{7} CURA DOS CONFLITOS ENTRE PAIS E FILHOS

Uma das mais belas e complexas formas de amor, tão necessária ao desenvolvimento humano, é o relacionamento entre pais e filhos. Desde o nascimento, os pais são os primeiros a transmitir amor, cuidado, proteção, educação e valores aos seus descendentes. Essa troca impacta significativamente o desenvolvimento físico, emocional, cognitivo e social dos indivíduos em processo de formação.

Alguns estudos mostram que, ao estabelecerem um vínculo afetivo forte e seguro com os filhos desde os primeiros dias de suas vidas, os pais contribuem para que eles se tornem adultos mais saudáveis, felizes, confiantes e bem-sucedidos. Já a falta ou a deficiência desse vínculo pode gerar consequências negativas para a vida dos filhos, incluindo problemas de comportamento, aprendizagem e relacionamento com outras pessoas, bem como insegurança, ansiedade, agressividade, isolamento, dificuldades de se adaptar à sociedade, de fazer amigos, de estudar ou de trabalhar.

Portanto, é fundamental que os pais se conscientizem da importância do relacionamento com os filhos desde o nascimento e se esforcem para construir uma relação saudável, harmoniosa e duradoura com eles, oferecendo amor, carinho constante, limites claros, estímulos adequados e exemplos positivos. Os filhos, por sua vez, devem ser fonte de alegria, gratidão, aprendizado e crescimento para os pais. Trata-se, portanto, de uma via de mão dupla, que envolve respeito, troca, afeto e confiança.

Certamente não é tarefa simples ser responsável pela formação e pelo desenvolvimento físico, emocional e espiritual de outro indivíduo, principalmente porque todo ser humano também precisa administrar as próprias carências e fragilidades. Muitos pais, por imaturidade ou por falta de referência paterna ou materna, não sabem como agir com seus filhos e acabam repetindo o mesmo padrão de comportamento ao qual foram um dia submetidos.

Não sou psicólogo nem tenho filhos, mas tive pais e tenho sobrinhos-netos com os quais convivo. Sei que cada família tem uma realidade com dinâmica e dificuldades próprias. Também já entrevistei muitas vezes psicólogos e palestrantes sobre o assunto, e eles sempre ressaltam a importância de impor limites aos filhos. Não é uma missão agradável, mas é essencial para o desenvolvimento saudável deles.

FILHOS SÃO UM PRESENTE DE DEUS

A espiritualidade cristã católica, que se fundamenta no amor de Deus revelado em Jesus Cristo e na Sua Igreja, acompanha os pais e os filhos em todas as etapas da relação familiar, desde o nascimento até a maturidade.

Do ponto de vista da cura espiritual, a relação entre pais e filhos é um dom de Deus, que começa desde o momento da concepção. A Bíblia nos ensina a ver os filhos como presente de Deus: "Os filhos são um presente do Senhor; eles são uma verdadeira bênção. Os filhos que o homem tem na sua mocidade são como flechas nas mãos de um soldado. Feliz o homem que tem muitas dessas flechas! Ele não será derrotado quando enfrentar os seus inimigos no tribunal" (Sl 126 [127], 3-5).

Ouso comparar os filhos com um diamante bruto que Deus confia aos pais para serem lapidados. Esse processo de lapidação tem de ser cuidadoso, artesanal, único para cada pedra. É essa qualidade na lapidação que ajusta o formato, conferindo beleza e brilho ao diamante, não é mesmo? Pois é similar ao que ocorre quando se aperfeiçoa o relacionamento com os filhos, fazendo aflorar qualidades e valores para que eles cresçam em sabedoria, estatura interior e graça diante de Deus e dos homens.

Segundo o Catecismo da Igreja Católica, os pais são os primeiros responsáveis pela educação dos seus filhos na fé, na oração e em todas as virtudes. Os pais devem ensinar aos filhos o respeito pela vida humana desde a concepção até a morte natural, o serviço aos pobres e aos necessitados, a solidariedade com os irmãos na fé e com toda a humanidade. Os pais também devem estimular os filhos a descobrirem a sua vocação específica na Igreja e no mundo, seja ela o matrimônio, o sacerdócio, a vida consagrada ou o celibato pelo Reino de Deus. Os filhos, por sua vez, contribuem para o crescimento em santidade dos pais, com obediência, gratidão, carinho e colaboração (cf. Catecismo da Igreja Católica, 2251-2253).

Os pais devem também ouvir os filhos, respeitando suas opiniões, sentimentos e necessidades. Não se trata de deixá-los fazer o que quiserem, mas de estar aberto ao diálogo e convencê-los com base na experiência de vida; afinal, os pais já tiveram demandas semelhantes e sabem o que pode não valer a pena e até implicar riscos.

Quando eu era criança, adolescente e jovem, era comum pedir algo, como ir a um determinado lugar ou evento, e ouvir de minha mãe sempre a mesma resposta: "Veja com o seu pai!" Este, curiosamente, quando consultado, dava a mesma resposta, apenas com o sinal invertido: "Sua mãe é quem sabe." Nesse "jogo de empurra-empurra", eu e meus irmãos ficávamos sem saber o que fazer. Isso era comum em todas as famílias, só mudando o endereço.

Ora, transferir responsabilidade apenas para se isentar de dizer "não" e "ficar bem na fita" não resolve o problema e ainda pode criar outro, levando os filhos a se valerem de mentiras para conseguir o que querem. Por isso, é muito mais sensato e seguro os pais ponderarem entre si e depois responderem aos filhos, aproveitando para demonstrar a confiança que depositam neles, delinear os limites da permissão ou explicar os prós e contras em caso de uma resposta negativa.

Outra conduta equivocada consiste em não validar ou não dar a devida atenção quando o filho chega em casa e conta que se saiu bem em uma prova, às vezes até com nota máxima. Muitos pais simplesmente ouvem e reagem como se ele não tivesse feito mais que a obrigação, desmerecendo todo o esforço do filho para alcançar aquele resultado. Na próxima avaliação pode ser até que não se dedique mais com tanto afinco, estudando apenas para alcançar a média.

Por isso, atenção.

Pais, incentivem e valorizem as potencialidades dos filhos, reconheçam seus esforços e comemorem suas conquistas! Lembrem-se de que não se estimula ninguém com um "balde de água fria"!

Com efeito, os pais precisam lapidar os filhos — ensinando-lhes os valores morais e éticos — e também a si mesmos. O ambiente familiar tem que ser saudável, com diálogo e boas escolhas. O sonho de um mundo melhor não pode acabar. Se os pais forem pessoas pessimistas e tiverem uma imagem negativa do mundo, seus filhos vão se desenvolver com essa mesma impressão; do mesmo modo, se não tiverem fé, seus descendentes crescerão sem esperança.

Educar filhos sem oração e sem referência de Deus traz grandes prejuízos, deixando suas almas expostas às influências más do mundo, que muitas vezes podem afastá-los do caminho do Bem. Eles podem sucumbir aos perigos do relativismo e do materialismo, que minam a dignidade humana e o amor fraterno.

As Sagradas Escrituras contêm ensinamentos valiosos a esse respeito — com outras palavras, mas um mesmo sentido. Por exemplo, o Livro dos Provérbios afirma: "Quem poupa a vara odeia seu filho, quem o ama corrige-o com frequência" (Pr 13, 24). Essa "vara" não deve ser entendida como um incentivo à violência. Correção não quer dizer "sapecar uns tapas". Já se foi o tempo em que correção e castigo eram sinônimos de bater. Eu lembro de apanhar com varinha de jabuticabeira e sandália de dedo, o popular chinelo. Eita arma perigosa! Se corríamos, a mãe arremessava aquele artefato e nos acertava. Tem gente que apanhou até com cordão de ferro de passar roupa.

Voltando à Bíblia, ela orienta a empregar a disciplina como expressão do amor paternal e maternal: ser gentil e afetuoso com os filhos sempre, mas também saber se posicionar com firmeza quando for necessário discipliná-los. Sem rigidez, autoritarismo ou violência, os pais devem conversar com os filhos, ajudando-os a compreenderem as regras que regem a família e a sociedade. Sempre que possível, devem procurar explicar as razões e as consequências de cada regra.

Isso é importante porque orientará o comportamento dos filhos e os ensinará a ter respeito pelos outros, a lidar com as frustrações e a ter responsabilidade. Enfim, os limites contribuem para formar pessoas éticas, conscientes, respeitosas, bem como cidadãos e seres sociais com autonomia, preparados para enfrentar os desafios da vida.

Os pais também devem ser flexíveis e negociar esses limites levando em conta algumas variáveis, como a faixa etária dos filhos. Afinal, não faz sentido exigir maturidade de uma criança de oito anos. É importante não fazer comparações com irmãos, primos e até conhecidos oriundos de outras famílias, ainda que tenham a mesma idade, pois cada criança tem um temperamento próprio e, consequentemente, emoções e sentimentos únicos. Além disso, os pais têm obrigação de servir como exemplo e respeitar os mesmos limites impostos aos filhos, pois eles aprendem mais pelo que veem do que pelo que ouvem.

Pais muito permissivos, que preferem não correr o risco de serem alvo de contestações e críticas, tendem a deixar os filhos muito soltos, mas estão avaliando equivocadamente o "custo-benefício" dessa atitude, porque, se eles não empregarem a "vara que educa", o mundo o fará. Os pais ainda podem fazer isso com amor e algum controle, enquanto a vida lá fora não age com a mesma condescendência.

COMO ATRAVESSAR A DOR CAUSADA PELOS CONFLITOS NA RELAÇÃO COM OS FILHOS

Relacionamento entre pais e filhos é bênção, mas também pode ser permeado por conflitos, mágoas e ressentimentos. Muitas vezes, as feridas causadas por atritos nesse relacionamento afetam a vida adulta das pessoas, prejudicando sua saúde emocional, espiritual e relacional.

Como encontrar cura para essas feridas e restaurar esses laços?

A resposta está na pessoa de Jesus Cristo, o Filho de Deus, que veio ao mundo para nos reconciliar com o Pai, nos ensinou a perdoar e a amar uns aos outros.

Mas atenção: Jesus pode curar traumas e dores nos relacionamentos entre pais e filhos, mas a Sua cura não é mágica ou instantânea. Exige compromisso, perseverança e confiança.

A cura começa quando seguimos o Seu exemplo de obediência, humildade e compaixão e se consuma ao reconhecermos nossos erros e pedirmos perdão.

Somos seres imperfeitos, em constante aprendizado, e todos sem exceção podemos errar por vários motivos. Aqui lembro o único mandamento do Decálogo que vem acompanhado por uma promessa: "Honra teu pai e tua mãe, para que sejas feliz e tenhas longa vida sobre a terra" (Dt 5, 16). Vejam o valor que Deus dá a esse relacionamento familiar. Isso implica respeitar, amar, cuidar e perdoar os pais.

Todos sabemos que os filhos se inspiram nos pais, para o bem ou para o mal. Assim, cabe aos últimos essa responsabilidade total e intransferível pela transmissão dos valores que nortearão o comportamento dos jovens ao longo de toda a vida. O peso dessa responsabilidade pode trazer desconforto e até sofrimento para todos os envolvidos, mas se há uma seara em que é plausível converter a dor em amor, é, por excelência, o relacionamento entre pais e filhos.

Faço essa afirmação com absoluta segurança, porque a base de toda relação familiar é o amor. Ninguém se junta pelo ódio ou buscando o sofrimento. Desse modo, se, em algum momento, ainda que distante, algo foi bom e prazeroso, em Deus sempre pode voltar a sê-lo. Ele quer restaurar todo relacionamento entre pais e filhos, mas os beneficiados também precisam fazer a sua parte; e, naturalmente, cabe aos adultos sair na frente e dar a sua parcela de contribuição. Por isso, sempre incentivo pais e mães a serem exemplos de justiça e integridade para os filhos. "Como são felizes os filhos de um pai honesto e direito!" (Pr 20, 7)

Desde cedo, os filhos reproduzem o comportamento observado dentro de casa, incluindo atitudes, valores e escolhas. Não agem como "cópias" dos pais, mas são como espelhos, refletindo e refratando gestos de autoridade, segurança, afeto e confiança. Mais do que se identificar com os pais, eles querem se sentir pertencentes à família e reconhecidos por ela. Uma criança que veste a roupa do pai ou o sapato da mãe está sinalizando que de alguma forma quer se parecer com eles.

Os avós, é claro, também podem ser referências. É muito comovente ouvir um neto dizer: "Vó, a senhora que é uma mulher de oração, reze por mim." Por outro lado, é lamentável quando confidenciam: "Eu não vou à casa da minha avó porque ela é uma fofoqueira daquelas, uma encrenqueira." Percebamos que o futuro dos filhos depende do "hoje" desse ambiente familiar.

Aqueles que cresceram vendo os pais brigarem por tudo, por exemplo, terão certa aversão ao casamento e podem até chegar à conclusão de que é melhor permanecer solteiros.

A esta altura, já ficou claro que educar é uma tarefa ambivalente, executada sobre uma linha fina e muito tênue entre o amor e o cuidado, de um lado, e a *confiança* e o *respeito*, de outro. Atente para as duas últimas palavras grifadas que mencionei: não se trata de imposição e medo! Agir movido pelas virtudes e não pelos defeitos é o maior legado que os pais podem deixar para os filhos, pois será a mesma conduta que eles terão em relação aos outros.

Você sabia que não há nada que desperte mais a atenção dos filhos do que as histórias da vida pregressa dos pais? Se os professores de história geral ou história do Brasil soubessem o quanto humanizar os fatos faz com que sejam internalizados e compreendidos, não perderiam tanto tempo com linhas de tempo insossas e abarrotadas apenas de nomes e datas.

Pense nisso e comece contando ao seu filho ou à sua filha passagens da sua vida antes do nascimento dele ou dela — por exemplo, como conheceu seu companheiro ou sua companheira e todo o contexto da concepção. Não deixe de incluir nesses relatos aqueles momentos que trazem implícito um conselho ou uma mensagem de superação. O mesmo vale para a biografia dos avós.

Que os filhos tenham a própria história na mente e a guardem com todo carinho no coração!

Conte histórias edificantes e poupe seu filho ou sua filha de filmes, vídeos e jogos que estimulem a violência. Leia histórias bíblicas, reforce sempre o exemplo de Jesus Cristo e de Nossa Senhora, pois é uma forma poderosíssima de semear a fé. Ainda que em alguns dias ocorram grandes tormentas e tempestades capazes de arrasar plantações, quando investimos tempo na preparação das sementes elas sempre florescem de novo.

Cito novamente a exortação *Amoris laetitia*, um documento superimportante e atualíssimo, cuja leitura recomendo. Nela o Papa destaca a importância da educação dos filhos como uma missão primordial dos pais, que devem transmitir-lhes os valores humanos e cristãos, a fé, a oração, a solidariedade, o respeito, a liberdade, a responsabilidade e a maturidade. Ele também reconhece as dificuldades e os desafios os pais enfrentam na educação dos filhos, especialmente na atual cultura do descartável, do relativismo, do consumismo e da tecnologia. O Santo Padre encoraja os pais a não desanimarem e a contarem com o apoio da Igreja e da sociedade.

O Papa ressalta, de modo particular, a importância da transmissão da fé aos filhos, que deve ser feita de forma viva, alegre e familiar. A família, diz ele, é a primeira escola de fé, onde se aprende a conhecer e a amar a Deus, a participar na vida da Igreja, a celebrar os sacramentos, a rezar em família, a ler a Bíblia, a testemunhar o Evangelho, a servir os pobres e a cuidar da criação. Também afirma que a transmissão da fé precisa respeitar o ritmo e a liberdade dos filhos, que devem ser acompanhados no seu crescimento espiritual e na sua vocação (cf. nn. 27-57).

Criar filhos é uma arte e exige que os pais encontrem um ponto de equilíbrio entre a permissividade e o protecionismo. Sabemos que o "não" seco e sem explicação deixa os filhos frustrados. Então, como já se mencionou, é melhor propor algum tipo de negociação e oferecer uma alternativa.

Se a criança está no supermercado e começa a fazer birra porque quer um brinquedo caro que a mãe não pode comprar, certamente não tem amadurecimento suficiente para conseguir administrar essa frustração, cabendo ao adulto distraí-la e acalmar os ânimos. A mãe pode, por exemplo, explicar que naquele momento não será possível atendê-la, mas irá fazê-lo no Natal ou no aniversário, ao mesmo tempo que chama a atenção da criança para outro artefato mais simples que também possa interessá-la.

Claro que, a depender do grau de birra e de constrangimento sofrido pelo adulto, ele também tende a se descontrolar; no entanto, precisa treinar o seu discernimento para não cair nesse tipo de "cilada" e buscar sempre uma alternativa. Quando o filho percebe a escuta ativa da mãe e do pai, e não uma simples resposta evasiva ou autoritária, tende a se resignar.

Infelizmente, muitos pais se sentem culpados por não participarem da rotina diária dos filhos e criam mecanismos de compensação por meio do excesso de presentes ou "passando pano" para tudo o que eles fazem, mesmo quando estão errados. Existem ainda aqueles adultos que passaram por privações na infância por razões econômicas e, quando alcançam uma condição de vida melhor, entopem os filhos de brinquedos pelos quais eles nem se interessam. Isso é muito perigoso e pode resultar na formação de adultos egocêntricos e imediatistas, comprometidos apenas com a própria vontade e incapazes de se colocar no lugar do outro, o que causará sérios conflitos nas relações sociais pela vida afora.

Seja qual for o obstáculo que você experimenta no convívio com os filhos, o Senhor quer e pode curar esse relacionamento. Costumo dizer que os filhos não nascem como "folhas em branco", pois são dotados de alma — e essa alma vem de Deus. Contudo, a mancha do pecado, as influências do ambiente familiar e do mundo as desvirtuam em menor ou maior grau.

Ensine os seus filhos a viverem a harmonia, a respeitarem e não desmerecerem os outros. Jamais estimule o orgulho e a soberba. Conduza-os pelo caminho da humildade, porque perante Deus ninguém é superior a ninguém. Pessoas humildes tendem a ser mais felizes — isso é bíblico: "Eu te exulto, ó Pai, porque escondestes essas coisas dos sábios e dos entendidos e as revelastes aos pequeninos, aos humildes" (Mt 11, 25). Uma pessoa humilde não é alguém desprovido de personalidade, e sim um ser humano ponderado, que mantém os pés no chão por conhecer e aceitar os limites da boa convivência.

A empatia não é um dom inato, mas antes uma habilidade que precisa ser desenvolvida e estimulada diuturnamente pelos pais. Por exemplo, uma criança ensimesmada e pouco afetuosa em relação a outras pode se tornar o famoso "aluno briguento" da escola e causar muitos dissabores para a família.

Seja você uma professora ou um professor da empatia e da humildade. Ensine ao seu filho desde pequeno que ele não pode fazer o coleguinha sofrer, pois uma das máximas de ouro de Jesus é não fazer aos outros aquilo que não queremos seja feito conosco (cf. Mt 7, 12). Siga essa máxima você também, porque, como já disse, o exemplo dado pelos pais é o que conta.

A compreensão de que as coisas não caem do céu e tudo exige esforço também deve ser internalizada desde a mais tenra idade. Por isso, não espere o tempo passar, pois poderá ser tarde demais. Ensine o comprometimento com tarefas simples e causas importantes. Leve seus filhos, ao menos uma vez por ano, para doar os brinquedos deixados de lado e em bom estado de conservação. Faça-os participar da organização da casa. A criança pode e deve guardar os brinquedos, arrumar a cama, realizar afazeres que estejam ao alcance dela. Por exemplo, deixá-la encarregada de recolher os dejetos do cãozinho de estimação é uma boa pedida. E, se ela reclamar, os pais têm que argumentar: "De quem é o cachorro? Não é seu? Então, você tem que ajudar a cuidar."

Um aspecto muito importante sobre o qual o relacionamento entre pais e filhos exerce forte influência é a formação da autoestima da criança e do adolescente. Esse sentimento de avaliação de si mesmo tende a ser mais positivo ou mais negativo na medida em que os pais elogiam, ignoram ou até repudiam determinadas características, habilidades ou conquistas da garotada. Embora essa autoestima seja adquirida em uma fase tão precoce, vai moldar as atitudes da pessoa na vida adulta. A dificuldade de dizer "não", por exemplo, é um problema sério que tem origem na baixa autoestima e no medo de ser rejeitado.

Há pais e mães que me dizem: "Padre, eu tenho dó de ser muito exigente." E eu sempre respondo: "É melhor sentir um aperto no peito agora do que chorar rios de lágrimas no futuro por ver um filho trilhar o caminho das drogas ou da marginalidade. A escolha é sua!"

Por isso, meus queridos pais, apoiem, elogiem, valorizem, mas também deleguem responsabilidades, corrijam, estabeleçam limites. O filho errou? Não precisa fazer um "barraco" ou um sermão. Corrija com amor. Converse por meio de um diálogo controlado sobre as consequências daquela atitude, as regras da convivência e os valores da família. Se o filho fez algo que não ficou bom ou não atingiu o resultado esperado, nada de menosprezar ou agredir com xingamentos. Mais vale chamar a atenção e complementar sempre com uma avaliação construtiva: "Que bom que você ajudou. Desta vez não ficou tão bem-feito, mas tenho certeza de que você consegue fazer melhor. Vamos tentar?"

Essa tolerância não advém dos manuais de psicologia, mas de Jesus Cristo. Pedro, por exemplo, "pisou feio na bola". Mas Jesus não Se deu ao trabalho de "passar um sermão" nele. Limitou-se a questionar: "Você me ama? Ama mesmo? Então, apascenta minhas ovelhas." Impressionante! Não tocou no assunto, não "jogou na cara" de Pedro o que ele tinha feito. Às vezes, nossa reação diante do erro do outro é dramatizar, polemizar, agredir com palavras de baixo calão. Mas dessa forma acabamos por "travar" a pessoa no erro cometido.

O futuro dos filhos é, sem sombra de dúvidas, uma das preocupações centrais de toda família. E é justamente por isso que a base fornecida a eles deve ser sólida o suficiente para sobreviver a todas as intempéries e florescer, faça chuva ou faça sol. De nada adianta se matar de trabalhar para deixar um bom patrimônio se os filhos titubearem ou simplesmente escolherem outro caminho, acabando por dilapidar tudo em pouco tempo. Em vez disso, que tal incutir neles o valor do trabalho e a importância do legado de tanta gente batalhadora que veio antes?

Não podemos esquecer que, no meio do caminho, entre a infância e a vida adulta, está a complicadíssima fase da adolescência. De repente, aquele filho obediente, estudioso, calmo, pode começar a dar sinais de rebeldia. Isso não quer dizer que todos passarão da mesma forma pela adolescência. Mas é certo que os filhos experimentam mudanças físicas, mentais e espirituais.

O que fazer? Como agir?

A adolescência é a fase em que os filhos buscam firmar seu lugar no mundo, trazendo à tona questões sobre identidade, pertencimento, propósito e autonomia. Nesse processo, os valores já ensinados podem ser desafiados por circunstâncias adversas e influências negativas. Por isso, os pais devem cultivar o relacionamento saudável, intensificar o diálogo e a escuta com empatia, respeito e paciência. Tal apoio é uma forma de encorajar, fortalecer e motivar os filhos.

Você já deve ter ouvido esta frase: "Filho criado, trabalho dobrado!" Será assim mesmo?

Não necessariamente, desde que essa relação esteja curada em Jesus. Jesus quer curar, e para isso Ele nos oferece o Seu amor, a Sua empatia e a Sua graça, possibilitando-nos superar as dificuldades, as mágoas, as feridas e os conflitos nos relacionamentos entre pais e filhos.

Você que é mãe ou pai, peça sempre com fervor: "Senhor, cura o meu relacionamento com os meus filhos!"

Peça com fé, humildade e sinceridade. Esforce-se para essa oração vir acompanhada de atitudes concretas, que demonstrem o desejo de mudança.

Persevere na oração até que a restauração da confiança e do respeito, a cura dos laços familiares, seja uma realidade.

Finalizo insistindo que a boa semeadura na infância vale a pena, porque dará frutos no futuro. Que coisa mais linda diz o salmista: "Que, na sua mocidade, os nossos filhos sejam como plantas viçosas e que as nossas filhas sejam como colunas que enfeitam a frente de um palácio!" (Sl 143 [144], 12).

ORAÇÃO PELA CURA DOS CONFLITOS ENTRE PAIS E FILHOS

Senhor, nós Te agradecemos por nos ter dado a graça de formar uma família.

Cura, Senhor, o que precisa ser curado em nosso relacionamento de pais e filhos.

Abençoa a nossa convivência.

Ajuda-nos a respeitar, compreender e perdoar uns aos outros, a crescer em harmonia, paz e alegria.

Senhor, ilumina os nossos caminhos com a Tua luz, guia os nossos passos com a Tua sabedoria, protege os nossos lares com o Teu poder.

Senhor, que o nosso lar seja um lugar de acolhimento, oração e amor,

e que o nosso testemunho de família restaurada seja um sinal da Tua presença e da Tua ação em nossas vidas.

Amém.

Escaneie com a câmera do celular o QR Code a seguir e reze com o Padre Manzotti:

{8} CURA DO INDIVIDUALISMO E DO ISOLAMENTO SOCIAL

A expressão "nenhum homem é uma ilha" nos leva a refletir sobre a importância dos relacionamentos interpessoais para a nossa vida. Somos seres sociais, e por isso dependemos uns dos outros para amplia nossa capacidade de sobrevivência e realização.

Por isso, é necessário saber interagir, conversar e conviver com as pessoas todos os dias. Por outro lado, é bastante curioso que, para estarmos bem com os outros, precisamos, antes e sobretudo, estar bem com nós mesmos, respeitando e valorizando nossos sentimentos, emoções e qualidades.

Veremos aqui como dosar esse equilíbrio entre o interno e o externo.

Uma das distorções que mais verificamos individualmente, e que também se revela tóxica nas relações humanas, diz respeito à autoestima. Uma pessoa desprovida de amor-próprio torna-se um "dependente emocional". A exemplo do dependente químico, que está sempre em busca de uma dose cada vez maior de entorpecente, ela demonstra uma necessidade progressiva e insaciável de afeto, atenção e validação alheia. O vazio que sente provoca uma sede permanente e, não raro, destrutiva, afetando de forma negativa todo o entorno, incluindo relacionamentos familiares, amorosos, fraternais e profissionais.

Há quem defina esse tipo de comportamento como algo semelhante ao chiclete, ou seja, a pessoa se mostra "pegajosa", "grudenta", vive "colada" àqueles que admira e considera importantes. Ao mesmo tempo, anula a si mesma, tornando-se submissa aos desejos e às vontades das outras pessoas. O medo da perda é tão grande que ela acaba por negligenciar os próprios interesses e necessidades, podendo inclusive desenvolver um comportamento agressivo, como é caso dos indivíduos extremamente ciumentos e possessivos.

Vale lembrar que as pessoas com excesso de amor-próprio também se tornam um perigo para si mesmas e para os outros, pois podem converter uma necessidade humana básica, que é a autoestima, numa falha moral, próxima da vaidade e do egoísmo.

DE QUE FORMA ENXERGAMOS A NÓS MESMOS, OS OUTROS, A VIDA E O MUNDO?

Algumas pessoas priorizam o sucesso financeiro e o status social, a ponto de se preocuparem mais com os bens materiais do que com o próprio bem-estar e o dos outros. Trata-se de um tipo de distorção da realidade: elas acreditam que os valores materiais são os únicos capazes de lhes garantir reconhecimento, admiração e respeito.

Isso é terrível, pois também revela falta de autoestima e de autoconfiança. No fundo, essas pessoas não se respeitam nem se valorizam por quem elas são, mas pelo que têm ou aparentam ter. Dependem do sucesso monetário para se sentirem legitimadas socialmente e até afetivamente. Pensam: "Todo mundo me respeita e gosta de mim, pois eu me dei bem na vida." Elas tendem a se aproximar apenas de pessoas que compartilham do seu status social e, geralmente, enxergam a vida segundo o mesmo ponto de vista. Todavia, quando sofrem um revés, esses pseudoamigos são sempre os primeiros a se afastar.

Essa forma de pensar e de agir é muito limitante e prejudicial, pois impede que desenvolvamos relações profundas e realmente gratificantes. Não acredito que as pessoas sejam superficiais, arrogantes, competitivas e invejosas por natureza, mas que passam a agir assim em função de escolhas e valores equivocados.

Por isso, é muito importante que curemos a visão que temos de nós mesmos, dos outros e da vida em geral, aprendendo a discernir o que realmente importa. Muitas pessoas aprendem pela dor de uma perda, de uma doença grave ou até no leito de morte, quando já é tarde demais para mudar. Diversos estudos com pacientes terminais demonstram que suas principais queixas e frustrações dizem respeito ao que aparentemente é simples e sem valor financeiro, como passar mais tempo na presença de familiares e amigos, desfrutar do carinho das pessoas amadas ou simplesmente estar em contato com a natureza.

Mas de quem é a culpa dessa existência equivocada se aprendemos desde cedo que dinheiro é tudo e até já cogitamos ensinar educação financeira aos pequenos? Nada contra o conteúdo em si, cuja relevância é inegável, mas esse é o mundo que queremos para os nossos filhos, em que a filosofia e a teologia estão fora das escolas, enquanto as regras do mercado financeiro são ensinadas desde os primeiros anos?

Precisamos da cura de Jesus para reconhecer que os bens materiais são relativos e transitórios, que não definem a nossa identidade nem a nossa felicidade.

Jesus curou os apóstolos de muitas enfermidades espirituais. Alguns eram reféns do orgulho e da ambição, que os levavam a querer ser "os maiores e os melhores" no Reino de Deus. Isso não é uma invenção minha: está claro na Bíblia, que nos conta sobre os chamados "filhos do trovão", Tiago e João. Um dia, eles tiveram a ousadia de pedir a Jesus que lhes concedesse os lugares de honra ao Seu lado, quando o Senhor viesse em Sua glória. Para isso, usaram a própria mãe como intermediária, fazendo-a ajoelhar-se diante do Mestre e fazer o pedido por eles. Que situação constrangedora! Jesus não repreendeu a mulher, mas se dirigiu aos dois com uma pergunta: "Vocês podem beber o cálice que eu vou beber?" (Mc 10, 38) Isso significa que eles não sabiam o que estavam pedindo, pois o caminho para a glória era o da Cruz, do sofrimento e do sacrifício.

Jesus também aproveitou a ocasião para ensinar uma lição aos outros apóstolos, que tinham ficado indignados com a atitude de Tiago e João. Mostrou aos discípulos qual era o verdadeiro critério de grandeza no Reino de Deus: a humildade e o serviço. Ele mesmo foi o maior exemplo disso (cf. Mt 20, 25-28).

INDIVIDUALIDADE É DIFERENTE DE INDIVIDUALISMO

Somos seres únicos. Não por acaso, cada um de nós tem digital e íris próprias. Não existe no mundo ninguém igual a mim ou a você. Não fomos feitos em série, e Deus não fica nos comparando uns com os outros.

Como isso é lindo!

Deus nos vê individualmente e nos ama por aquilo que somos. Mais que isso: Ele nos criou com um propósito e um plano especial. Nós somos a obra-prima de Deus, feitos à Sua imagem e semelhança, dotados de inteligência, vontade e liberdade. Por isso, todos os dias somos chamados a viver em comunhão com Ele e com os nossos irmãos, a desenvolver nossos talentos e a contribuir para o bem comum.

É importante entendermos que individualismo e a individualidade são dois conceitos que podem parecer semelhantes, mas que na verdade representam formas diferentes de se relacionar consigo e com os outros.

A individualidade é um dom de Deus, que nos fez únicos e especiais, com talentos, opiniões, vocações e missões específicas. Podemos considerá-la também uma virtude, pois é por meio dela que reconhecemos o nosso valor e a nossa dignidade como filhos de Deus. Sempre digo que não temos de esperar o reconhecimento dos outros, porque cada um de nós é o que é e temos nosso mérito por assim sermos. Isso não denota egoísmo, mas antes uma conexão com a nossa própria individualidade, que funciona mais ou menos como as máscaras de oxigênio em caso de despressurização das aeronaves: primeiro nos certificamos que estamos bem para, logo em seguida, imediatamente, ajudarmos os outros.

É por meio da nossa integridade individual devidamente respeitada que também respeitamos o valor e a dignidade dos outros como nossos irmãos.

A individualidade é um direito que todos temos de ser quem somos, é uma expressão da nossa identidade, da nossa essência, da nossa personalidade. É uma postura saudável, que não se opõe nem nos afasta dos outros. Ao contrário, ela nos aproxima e nos leva a nos relacionarmos sem invadir, controlar ou manipular quem quer que seja. É uma oportunidade que nos faz crescer e evoluir como pessoas e membros do corpo de Cristo.

O individualismo, por outro lado, é uma postura egoísta, contrária ao plano de Deus, que nos criou como seres sociais e solidários. Somos chamados a viver em comunhão com o Pai e com os nossos irmãos, e por isso o individualismo é um pecado, afastando-nos de Deus e dos outros, tornando-nos orgulhosos, vaidosos, arrogantes e insatisfeitos.

Assim como a ignorância, a ilusão é um tipo de insanidade estimulada pelo Inimigo, que nos faz agir como seres autossuficientes e independentes e nos leva a colocar nossos interesses acima das necessidades alheias. Nesse delírio egocêntrico, não levamos em conta os sentimentos dos outros e acreditamos que não precisamos de ninguém para sermos felizes. O individualismo é uma postura prejudicial que nos isola e nos separa das pessoas.

Procure prestar atenção ao comportamento dos individualistas: em geral, são competitivos e invejosos, enxergando no outro um rival a ser contido ou afastado. São aqueles que sempre querem se sobressair ou se comparar com alguém, sem reconhecer ou valorizar os méritos do outro. Como consequência, acabam por se fechar em si mesmos.

Creio que todos conhecem a expressão egocêntrica: "Eu me basto; o resto é resto."

O INDIVIDUALISMO E O ISOLAMENTO SOCIAL

Isolamento social é a condição em que as pessoas se afastam ou se distanciam das outras, seja por vontade própria, seja por circunstâncias externas. O isolamento social pode ter diversas causas e consequências, entre as quais se destaca o individualismo, que faz com que o indivíduo se feche, tornando-se indiferente ou hostil aos outros e ao ambiente.

Aprendemos durante o auge da pandemia de Covid-19 o quanto o isolamento social pode afetar a saúde física e mental das pessoas, causando doenças como depressão, ansiedade, estresse, obesidade, hipertensão etc. Embora experimentado à revelia da nossa vontade, uma vez que não foi imposto por nós mesmos, como é o caso do individualismo, esse período de reclusão afetou diversas áreas da vida pessoal e profissional da população. Para muitos o ponto crítico esteve na educação, isto é, no prejuízo do aprendizado; para outros, no trabalho, em que despencaram o desempenho, a produtividade etc. Isso deixou muitas sequelas, com as quais temos de lidar até hoje.

Evitar ou superar o isolamento social provocado pelo individualismo é essencial. Precisamos buscar equilíbrio entre o "eu" e o "nós", respeitar a nossa individualidade, mas também a alheia. É necessário apreciar e aprimorar nossos interesses pessoais sem perder de vista os interesses comuns; cuidar de nós mesmos e zelar, ao mesmo tempo, pelos outros.

Do contrário, podemos nos transformar em pessoas ranzinzas, solitárias, que discutem consigo mesmas. Sabe aquele vizinho chato que não gosta de sair nem de receber ninguém? Deus nos livre se a bola das crianças cair no terreno dele! Ele prefere furar a redonda a devolvê-la para a "piazada"...

COMO ATRAVESSAR A DOR E O VAZIO DECORRENTES DO INDIVIDUALISMO E DO ISOLAMENTO SOCIAL

Devemos respeitar e valorizar nossa individualidade, sem, porém, tornarmo-nos individualistas. Cada pessoa é única e especial, mas também faz parte de um todo maior, que é a humanidade. Todo ser humano tem algo a oferecer e algo a receber dos outros, seja conhecimento, experiência, afeto, apoio etc. Essa troca nos ajuda a crescer e evoluir como pessoas.

Para vivenciarmos relacionamentos saudáveis, precisamos ter um bom nível de autoestima, a ponto de sermos capazes de reconhecer o nosso valor e a nossa dignidade como seres sociais e cidadãos. Não devemos esperar que os outros nos reconheçam ou nos validem, pois isso pode gerar dependência e frustração. Não precisamos provar nada a ninguém, pois nós já somos dignos de sermos amados e respeitados. Somos filhos amados de Deus, afinal!

Nos relacionamentos também é preciso saber amar o outro, respeitando a sua individualidade e a sua liberdade. Não devemos querer impor a nossa vontade ou a nossa visão, mas buscar uma comunhão de ideias e sentimentos. Temos de sair do "eu", isolado e egoísta, rumo à construção do "nós", solidário e harmonioso. Se isso não ocorrer nas relações humanas, os mal-entendidos serão inevitáveis e chegarão ao rompimento.

Já tratamos do casamento em outro capítulo, porém é comum os problemas relacionados a ciúme e desconfiança surgirem quando um dos cônjuges apresenta um comportamento individualista. Certa vez, um rapaz me pediu para orientar a esposa, e perguntei o motivo. Ele me disse: "Eu tenho que trabalhar." E me explicou que ela vinha atrapalhando a rotina profissional dele, pois telefonava várias vezes ao seu local de trabalho para monitorá-lo: o que estava fazendo, com quem conversava e almoçava etc. Ciúme exagerado pode ser indício de dependência emocional, e tal dependência precisa ser tratada, uma vez que é uma doença que compromete não só o casamento, mas todas as relações.

É fundamental aprender a dialogar com o outro, sem medir forças ou competir. O diálogo é uma forma de expressar o que pensamos e sentimos, mas também de ouvir o que o outro pensa e sente, reconhecendo erros e divergências para buscar soluções em conjunto. Essa é a forma mais viável de compreender, perdoar e crescer.

Podemos aprender com Jesus a reconhecer nosso valor como filhos de Deus, assim como nossos limites e fraquezas humanas. Se nos enxergamos dessa forma, também enxergaremos os outros como nossos irmãos, evitando nos comparar e nos impor sobre eles. Buscaremos servir os outros com amor e generosidade, sem esperar recompensas ou elogios. Essa é uma das curas de Jesus para as relações humanas.

Nos relacionamentos familiares, muitas vezes não percebemos como o outro manifesta o amor por nós nem como manifestamos nosso reconhecimento desse amor. Isso pode gerar problemas de comunicação, desentendimentos e insatisfações.

Por isso, é preciso fazer um exercício de cura da percepção, a fim de que valorizemos as pequenas atitudes que demonstram o afeto e o cuidado que nutrimos uns pelos outros.

Por exemplo, quando acordamos e encontramos a mesa do café da manhã pronta, podemos encarar isso como algo normal e rotineiro e nem sequer nos lembrarmos de agradecer. Mas, se parássemos para pensar, nos daríamos conta de que alguém se levantou mais cedo, preparou o café, comprou o pão e os frios e ainda ficou nos esperando. Essa pessoa dedicou tempo, atenção e carinho para fazer algo exclusivamente para nós, demonstrando amor em todos os detalhes daquele café da manhã!

Isso vale também para o que fazemos pelos outros. Podemos achar que estamos apenas cumprindo nossas obrigações ou fazendo o que é esperado, mas, na verdade, estamos expressando o nosso amor em gestos. Você pode cozinhar o prato favorito do seu filho, ajudar o seu pai a consertar algo em casa, elogiar a sua mãe pelas flores na mesa de jantar, abraçar o seu irmão quando ele estiver triste, visitar um amigo que se sente solitário etc. Essas são formas de mostrar que você se importa com o outro e quer o seu bem.

Há um episódio no Evangelho em que Jesus e os apóstolos fazem uma viagem de barco pelo mar da Galileia, mas não levam comida. No meio do caminho, sentem fome e começam a discutir entre si por causa da falta de pão. Então, Jesus os repreende: "Como é pequena a fé que vocês têm. Vocês ainda não entendem? Vocês não se lembram dos cinco pães para cinco mil homens e de como vocês recolheram os pedaços que sobraram? Como vocês não entendem que eu não estava falando de pão? Tenham cuidado com o fermento dos fariseus e dos saduceus" (Mt 16, 8c-11).

Eis o fermento de quem vive em conflito: briga, discórdia, desamor, ironia, hipocrisia, falsidade. Jesus quer nos libertar dessa massa podre que cresce e nos alimenta com os venenos da ofensa, da desavença e da mágoa, que emboloram e estragam a nossa vida. Essa é uma das curas de Jesus para as relações humanas.

Jesus nos ensina uma lição importantíssima sobre os nossos relacionamentos: muitas vezes, nós brigamos por coisas insignificantes, apontando o dedo para quem se distraiu e esqueceu de pagar uma conta ou deixou a luz acesa a noite inteira. Certamente essas são pequenas falhas que causam aborrecimento, mas, em razão disso, nós rapidamente nos esquecemos do que realmente importa, que é o amor, a compreensão, a harmonia, a paz.

Empatia é uma palavra-chave quando se trata de relações humanas. Ela nos motiva a sermos solidários, tolerantes e respeitosos com as outras pessoas, bem como a compreender seus sentimentos, suas ideias e suas opiniões, mesmo que sejam diferentes das nossas.

Meu Deus, como falta empatia nos dias de hoje!

Novamente cito o Papa Francisco, que disse: "A vida é a arte do encontro, embora haja tanto desencontro na vida. Já várias vezes convidei a fazer crescer uma cultura do encontro que supere as dialéticas que colocam um contra o outro" (FT n. 215). Segundo Francisco, o segredo para possuir a vida é doá-la. Mas só se doa a vida, encontrando-a no outro. Por isso, é urgente recuperar a paixão por um tipo de desenvolvimento mais humano, que privilegie o bem comum e não o lucro. Um desenvolvimento que saiba incorporar os valores das culturas dos povos e respeitar os direitos humanos. Um desenvolvimento que promova a solidariedade e a fraternidade entre os povos e as nações. Um desenvolvimento que não se esqueça dos pobres e dos descartados, que cuide da nossa casa comum e que garanta a paz e a justiça para todos.

Além de ter empatia, também é preciso saber se comunicar. Não me refiro à habilidade da oratória, e sim a expressar com clareza o que sentimos, pensamos e queremos — por vezes de forma assertiva, mas sem ofender os outros. E, como a comunicação também envolve a escuta, devemos fazê-lo com paciência e sem julgamentos, dando atenção e valorizando o que o outro tem a dizer.

Por isso, repita com fé e com consciência: "Senhor, cura os meus relacionamentos e a mim também! Que eu seja a melhor versão de mim mesmo(a)."

Peça com confiança a ajuda de Jesus para mudar o que precisa ser mudado em você, e não nos outros. A cura de Jesus está em fazer com que sejamos o melhor que podemos ser, aquilo que Ele deseja para nós.

E, se Ele quer, nós podemos! Jesus pode nos curar! Ele trouxe Lázaro de volta à vida, libertando-o da morte, demonstrando Seu poder e Sua compaixão. Se você está trilhando um caminho autodestrutivo de individualismo e isolamento social, seja por vontade própria, seja por motivos involuntários, Jesus Se importa com o seu sofrimento e quer restaurar a sua vida e a sua convivência com os demais.

Essa cura segue exatamente a mesma dinâmica que experimentamos quando estamos com alguma enfermidade física: vamos ao médico e ele nos prescreve um tratamento específico para sanar aquele mal. Se engavetarmos a receita e não seguirmos à risca as recomendações médicas, a tendência é que a enfermidade se agrave, e outras poderão se somar ao quadro.

O que quero dizer é que o médico faz a parte dele, cabendo a nós, como pacientes, ajudar a cura a acontecer, colocando em prática as recomendações.

Podemos perceber, por meio dos Evangelhos, que Jesus, o Médico dos médicos, fazia a pessoa participar do processo de cura. Isso significa que Ele não curava as pessoas de forma automática ou imposta, mas, antes, educativa e participativa. Jesus adaptava o Seu método às circunstâncias de cada um, revelando o Seu amor e o Seu poder. Porém, também pedia uma atitude de fé por parte daquele que era tratado: era esse o requisito para receber a graça da cura.

Portanto, sigamos as recomendações de Jesus para a nossa cura!

Podemos evoluir do individualismo à individualidade. Esse é o objetivo que Deus tem para nós sob o mandamento que Ele nos ensinou: amar a Deus sobre todas as coisas e ao próximo como a nós mesmos. O amor a Deus nos faz reconhecer o nosso valor como filhos d'Ele, mas também o valor dos outros como nossos irmãos. O amor nos faz respeitar e valorizar as nossas características próprias, mas também as peculiaridades alheias. O amor nos faz sair de nós mesmos e nos abrirmos ao mundo, sem medo de perder nossa identidade ou liberdade.

Jesus nos convida a seguirmos os Seus passos, a vivermos como Ele viveu, a amarmos como Ele amou. O Senhor nos convida a renunciarmos ao individualismo e abraçarmos a individualidade, a sermos nós mesmos, não sozinhos, e sim em comunhão com Ele e com os outros.

Jesus nos convida a ser felizes — não à custa dos outros, mas junto com eles.

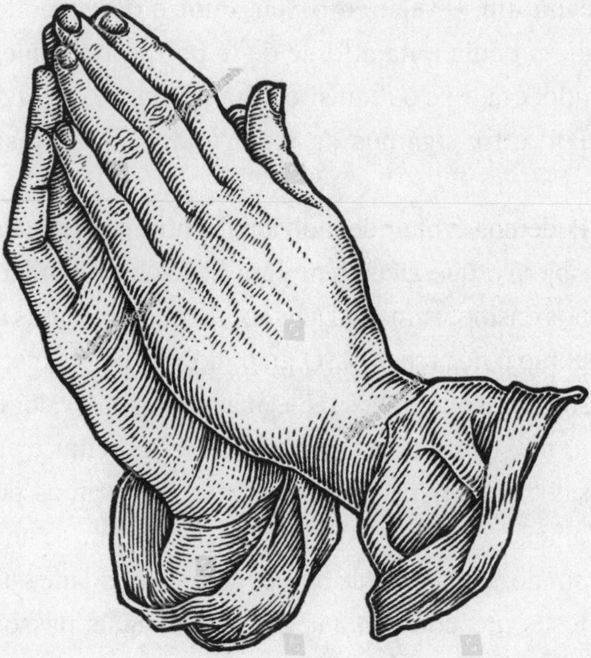

ORAÇÃO PELA CURA DO INDIVIDUALISMO

Senhor Jesus das Santas Chagas,
que por amor te entregaste na Cruz,
ajuda-me a não me fechar em mim mesmo,
e não buscar apenas os meus interesses.
Ensina-me a me abrir para o outro,
a ouvir suas necessidades
e a compartilhar como ele as minhas.
Senhor, que eu não me isole do mundo,
nem me conforme com as injustiças e desigualdades.
Que jamais me esqueça de Ti
nem me afaste da Tua presença.
Que eu aprenda de Ti a mansidão,
a fé, a esperança, a humildade e a caridade.
Que eu Te busque sempre na oração
e Te sirva com gratidão.
Amém.

Escaneie com a câmera do celular o QR Code a seguir e reze com o Padre Manzotti:

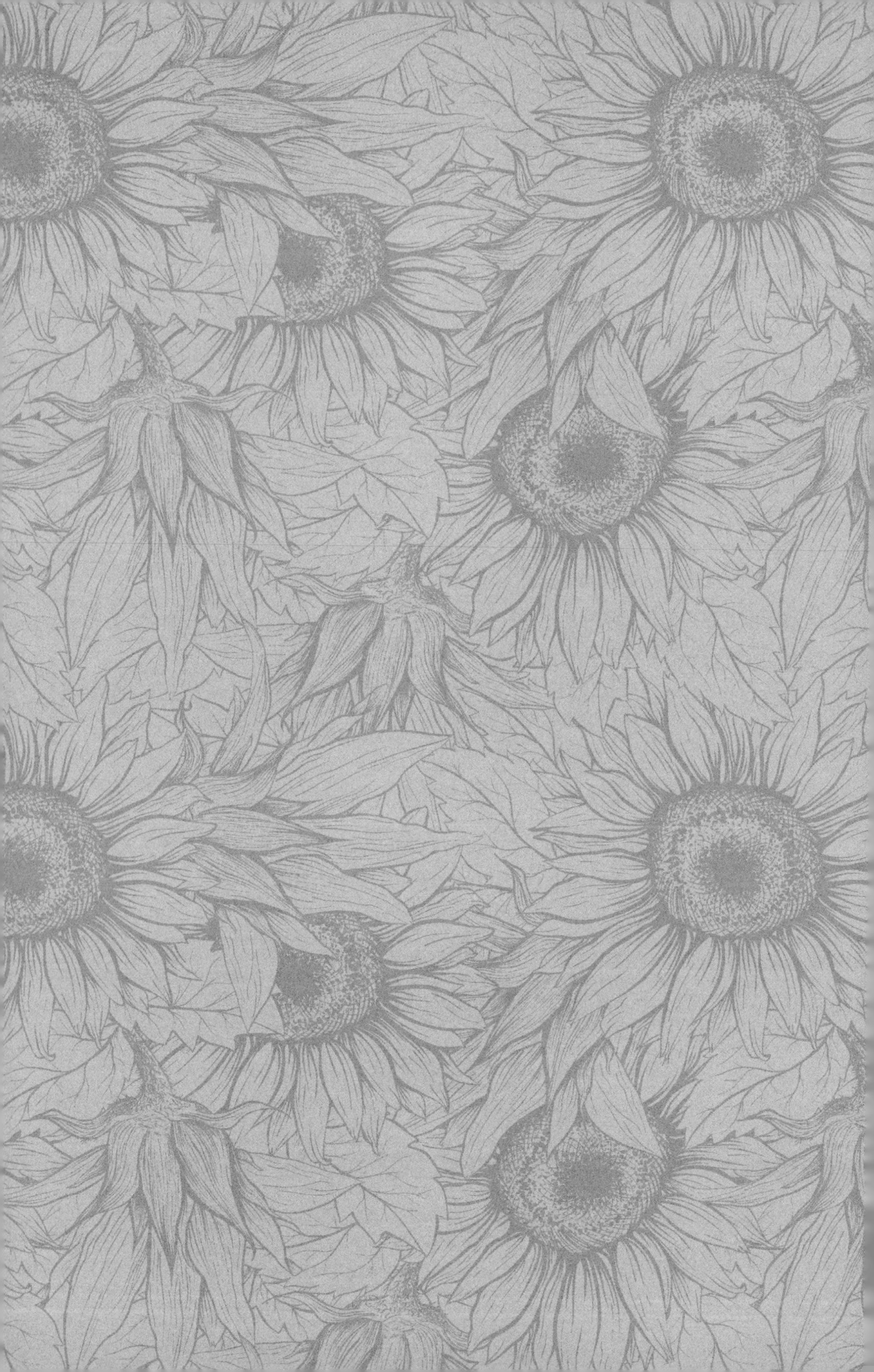

{9}
CURA INTERIOR

Todos temos uma história de vida marcada por momentos de alegria e de dor. Algumas experiências podem nos deixar marcas profundas, que nos fazem sofrer e nos impedem de viver bem. Essas marcas são as feridas da alma, que precisam ser curadas pelo Senhor, que é, Ele mesmo, o dono de nossa alma.

A cura interior é um caminho de fé e de esperança que Jesus nos oferece para restaurá-la. Trata-se de algo que interessa a muitas pessoas que desejam viver melhor consigo mesmas, com Deus e com os outros.

Nosso Deus é o Deus da promessa. Ele é fiel e não falha, não mente e não foge. Enviou-nos Seu Filho Jesus para curar nossas feridas e nos salvar da escravidão do pecado, abrindo-nos a porta do Céu.

Jesus quer e pode curar nossas emoções, nossa mente e nossas lembranças pelo Seu Sangue Redentor, pois isso nos ajuda na caminhada para Ele. O Senhor pode, portanto, nos restaurar e nos libertar de ressentimentos, pecados, rejeições, medos, tristezas, mágoas, culpas, autopiedade, depressão e outros sofrimentos da alma humana.

São Paulo aconselha: "Não vivam como vivem as pessoas deste mundo, mas deixem que Deus os transforme por meio de uma completa mudança de sua mente. Assim vocês conhecerão a vontade de Deus, isto é, aquilo que é bom, perfeito e agradável a ele" (Rm 12, 2). Isso significa que não devemos viver como pagãos. Por exemplo, eu não sou padre apenas quando estou no altar: ou sou padre 24 horas por dia, ou não sou nada. Não faria sentido "estar padre" em determinados momentos e, em outros, viver completamente em desalinho com o sacerdócio. Da mesma forma, ou somos católicos 24 horas por dia, ou não somos nada.

O Apóstolo nos indica o caminho da cura quando afirma: "(...) deixem que Deus os transforme por meio de uma completa mudança de sua mente." A nossa mente está vazia de sentido e cheia de "sujeira". Daí a necessidade de uma limpeza profunda dos pensamentos poluídos, que causam certas feridas emocionais que nos impedem de viver plenamente a vida que Deus nos reservou.

Nos dias de hoje, com o acesso ao conhecimento cada vez mais facilitado, não há justificativa para alguém dizer que não teve oportunidade de buscar e encontrar o caminho que conduz à cura. Com menos recursos e uma educação mais precária, nossos pais e avós fizeram o melhor que puderam, então quem somos nós para reclamar de falta de oportunidades?

Temos, como nunca antes na história, a chance de conhecer Jesus Cristo, o único que pode nos dar a verdadeira cura interior. Ele é a verdade que nos liberta (cf. Jo 8, 32) e, como já disse, o Médico dos médicos, que trata todas as nossas enfermidades (cf. Sl 103, 3).

Felizmente, hoje nós temos acesso a múltiplos recursos, incluindo aqueles que oferecem apoio espiritual, tanto presencialmente quanto em canais eletrônicos e plataformas digitais, como a leitura orante da Palavra de Deus, formações, grupos de oração e assim por diante. Então, não podemos ficar nos vitimizando. Temos o dever de buscar a saúde interior em Jesus e cooperar com o Seu processo de transformação em nossas vidas, que culminará numa vida bem-aventurada junto d'Ele no Reino.

SEJAMOS INTEIROS, EM CORPO, ALMA E ESPÍRITO

O corpo humano é a matéria que nos permite interagir com o mundo físico e viver na Terra. Exatamente por isso, devemos cuidar dele e respeitá-lo como verdadeiro templo do Espírito Santo. Jamais podemos desprezar a nossa materialidade ou tratar o corpo como se fosse algo mau. O próprio Jesus quis assumir um corpo humano, um rosto.

Portanto, sejamos sempre gratos a Deus pelo nosso corpo físico, e nunca se considere feio. Olhe-se no espelho e diga: "Eu sou bonito porque sou obra de Deus!" Nunca se menospreze, pois cada pessoa tem uma beleza digna de ser apreciada. Como sabiamente afirma o ditado: "Toda panela tem a sua tampa."

A alma, por sua vez, é o que dá vida ao corpo e faz dele um ser vivo. É nela que se encontram a inteligência, a vontade e as emoções do ser humano, e nela também se armazenam as recordações boas e más, assim como os sentimentos. "A unidade da alma e do corpo é tão profunda que se deve considerar a alma como a 'forma' do corpo; ou seja, é graças à alma espiritual que o corpo constituído de matéria é um corpo humano e vivo" (Catecismo da Igreja Católica, 365).

De acordo com Santo Agostinho, a alma é uma substância espiritual, racional e imortal que se diferencia do corpo material, sensível e mortal. A alma possui também o livre-arbítrio, isto é, a possibilidade de optar pelo bem ou pelo mal. Ainda segundo Santo Agostinho, a alma só pode achar a paz em Deus. Ela foi feita por Deus e para Deus e só n'Ele pode repousar. Ele escreveu nas suas *Confissões*: "Criaste-nos para ti, Senhor, e o nosso coração está inquieto enquanto não descansar em ti."

O espírito é a parte do nosso ser que nos une ao divino. É a expressão da vida sobrenatural da alma, que se comunica com Deus e participa da Sua Graça. O Catecismo nos ensina que, "por vezes, a alma aparece distinta do espírito. Assim, São Paulo ora para que nosso 'ser inteiro, o espírito, a alma e o corpo' seja guardado irrepreensível na Vinda do Senhor (cf. 1 Ts 5, 23). A Igreja ensina que esta distinção não introduz uma dualidade na alma: "espírito" significa que o ser humano está ordenado desde a sua criação para seu fim sobrenatural e que sua alma é capaz de ser elevada gratuitamente à comunhão com Deus" (Catecismo da Igreja Católica, 367).

COMO ATRAVESSAR A DOR DA ALMA E RESGATÁ-LA

Olhemos, portanto, para essas duas dimensões da nossa vida: nosso corpo e nossa alma. Se não cuidarmos do corpo, com o tempo ele se desgasta e adoece. Por isso, cuide, zele, não seja sedentário, faça atividade física, alimente-se bem.

Da mesma forma, temos que cuidar da alma, submetê-la sempre àquilo que lhe faz bem. Chamamos isso de vida interior. É interessante: quando fazemos academia e começamos a levantar peso, adquirimos tônus muscular; e, quando nos exercitamos na oração, desenvolvemos "tônus espiritual". Precisamos crescer em santidade, pois nossa vida espiritual anda muito fraca, raquítica e debilitada, e isso muitas vezes acarreta doenças físicas.

Por isso, não deixe que a influência do Mal se instale dentro da sua casa interior. Se perceber que o Inimigo está construindo o seu ninho, só há uma solução: destruir o ninho e jogá-lo fora, fechando a porta e a janela para ele. Caule podre, fruta doente. Tronco rachado, primavera sem flor.

Todos nós temos o livre-arbítrio: isso é um dom de Deus. E a cura interior consiste justamente em recuperarmos o nosso poder de decisão.

Reze com firmeza:
Senhor, dai-me a graça de retomar a minha liberdade,
De usar bem o livre-arbítrio,
De não ser prisioneiro(a) dos meus pecados,
De recuperar o meu poder de decisão!

E pergunte-se sempre: "Que grilhões me prendem hoje?"
Há muitas pessoas que perdem o poder de escolha — por exemplo, no caso do alcoolismo, em que o dependente não é capaz de sustentar a decisão de ficar uma semana ou até mais tempo sem beber. Perdeu o livre-arbítrio para o vício, mas muitos não admitem isso e permanecem na chamada fase de negação! O mesmo vale para os viciados em jogos, pornografia, drogas etc. Pode parecer fácil perceber qual é esse grilhão para quem observa de fora, mas geralmente a vítima desse cárcere se alimenta de uma nesga de luz que entra por um buraco mínimo nas paredes da caverna e, muitas vezes, prefere continuar vivendo assim.

Por isso, não raro a capacidade de perguntar é tão ou mais importante que a própria resposta. Autoquestionar-se é um dom e um indício de que estamos no caminho certo. Então, pergunte a si mesmo(a): "Estou realmente livre?"

O Senhor quer nos curar, mas tem de ser por inteiro; ou tudo vai para o Céu, ou não nada vai.

É claro que, em nossa trajetória pessoal, pode haver passagens tenebrosas, como abusos, rejeições, violências, entre outras. Jesus carregou sua pesadíssima Cruz por nós e jamais se esquivaria de nos ajudar a carregar a nossa, por mais espinhosa que seja, com traumas, dores e lembranças ruins. Por isso, não faz sentido sermos "colecionadores de lixo" quando Ele nos oferece Sua companhia. Jesus pode curar as nossas feridas, sejam elas quais forem, então cedamos espaço para que Ele aja em nós. Com efeito, o Papa João XXIII afirmou que "uma só gota [do Sangue de Cristo] pode salvar o mundo inteiro de qualquer culpa". Então, clamemos que o Sangue de Jesus lave e purifique a nossa alma.

Deus concedeu ao ser humano inteligência, discernimento e habilidade para desenvolver e usar os medicamentos. Os profissionais da saúde assistem os doentes, mas é o Senhor quem os restaura! Por isso, repito: se estiver doente, procure a medicina, mas tome o remédio com água benta, com fé, porque o Médico dos médicos é Jesus.

Para o tratamento dos transtornos da mente, temos a psiquiatria, a psicanálise e a psicologia. Eu recomendo que quem puder faça terapia, mas nunca se esqueça de que Jesus é o maior de todos os psicólogos e, às vezes, precisamos desabafar com Ele. Alguém pode até pensar: "Se Ele já sabe, por que eu tenho que falar?" Porque nós precisamos elaborar aquilo que nos incomoda e nos faz sofrer; porque nos faz muito bem demonstrar a Cristo que temos confiança n'Ele! Além de desabafar com Jesus, recebemos d'Ele a graça.

Jesus também é o Psicólogo dos psicólogos. Então, quando você estiver com pensamentos ruins, com vontade de desistir, de acabar com a própria vida, de abandonar o casamento, procure uma Igreja, vá até o sacrário e se coloque na frente do Santíssimo Sacramento. Faça como Santa Teresinha do Menino Jesus, que chegava batendo no Sacrário — toc, toc, toc — e anunciava: "Jesus, tua menina chegou!" Faça isso — toc, toc, toc — e diga: "Jesus, eu vim!" Se sentir vontade, chore, pois a oração das lágrimas é a mais perfeita de todas.

Repita quantas vezes for preciso: "Jesus, eu necessito da Tua cura!"

Isso pode ajudar a reconstruir o que está em ruínas e a restaurar a sua família.

Muitas vezes, negamos ou minimizamos as nossas dores — e pior: tentamos escondê-las com vícios, distrações ou falsas soluções. Mas isso só piora a situação e nos afasta da cura verdadeira. Precisamos reconhecer que somos fracos, limitados e precisamos da ajuda do Senhor, pois sozinhos não conseguimos.

Auxiliados pelo Espírito Santo, haveremos de descobrir quais foram as experiências que nos marcaram negativamente e geraram nossas feridas emocionais ou espirituais. Temos, também, de pedir perdão e perdoar aquelas pessoas que nos machucaram de alguma forma. O perdão não é um sentimento, mas uma decisão racional.

Então, escolha perdoar! Isso não significa esquecer o mal sofrido, mas deixar de sofrer por ele e renunciar ao desejo de vingança, às mágoas e ao rancor. O perdão é libertador, bem como um gesto de humildade que nos permite reconhecer nossos próprios erros e buscar a reconciliação.

Abra o coração para receber o amor e a cura de Jesus!

ORAÇÃO PELA CURA INTERIOR

Senhor, peço a cura interior.
Vem, Jesus, comigo curar todo o meu passado.
Cura, Jesus, minhas mágoas, minhas feridas, minha timidez, meus traumas, meus medos, minhas carências afetivas.
Vem, Jesus, e cura tudo o que me faz infeliz:
Os abusos, as ofensas, as humilhações, a solidão, as calúnias que sofri...
Senhor, eu coloco diante de Ti isso que me dói mais.
Peço, Senhor, a cura de tudo o que me feriu
desde o momento em que fui concebido
no seio da minha mãe.
Que eu não seja, Senhor, escravo do rancor,
do desejo de vingança, da falta de perdão.
Senhor, vem comigo, sozinho eu não consigo!
Vem comigo na minha primeira infância,
nos meus primeiros dias de escola,
na minha adolescência.
Jesus, vai iluminando as áreas da minha vida e as cura, Senhor!
Vem comigo na minha juventude,
nas minhas decepções amorosas, no meu casamento.
Ajuda-me a perdoar as pessoas que eu esperava que me amassem e me fizeram mal.
Jesus, vem comigo na minha história inteira,

no convívio familiar e social.
Cura, Senhor, a rejeição, o medo.
Cura-me nas minhas emoções mais profundas.
Senhor, esta fase que eu vivo hoje: cura-a!
Vem comigo, Senhor, nas minhas maiores dores e feridas,
aquelas que estão me causando enfermidades.
Cura, Senhor, o sentimento de abandono e os traumas
que estão gerando depressão e vazio existencial.
Se hoje, Senhor, eu não consigo amar é porque
tenho marcas negativas de desamor.
Cura-me, Senhor, e me faça ser instrumento de cura
para as pessoas que estão ao meu redor.
Faz-me testemunha do Teu poder em nossa vida.
Amém.

Escaneie com a câmera do celular o QR Code a seguir e reze com o Padre Manzotti:

{ 10 }
CURA DA VISÃO DISTORCIDA DA RELAÇÃO COM DEUS

Uma das coisas mais essenciais para qualquer cristão é ter ciência do vínculo constante com Deus. Procurar a harmonia e crescer na proximidade com Ele a cada dia é um dos nossos maiores anseios.

Muitas vezes, ao longo da vida, nós nos deparamos com situações difíceis, dolorosas ou injustas, as quais nos fazem questionar a bondade, a justiça e a presença divina. Nessas horas, podemos sentir raiva, tristeza, revolta ou decepção e, até mesmo, brigar com Ele.

Mas será que isso é justificável? E porventura agir dessa forma ajuda a resolver os nossos problemas?

As Sagradas Escrituras nos mostram que brigar com Deus não é algo incomum nem proibido. Muitos personagens bíblicos vivenciaram momentos de conflito, desabafo, reclamação e interpelação em sua relação com Deus. Jó, por exemplo, questionou o Pai sobre o seu sofrimento e exigiu uma resposta d'Ele. Já Davi expressou a angústia e sua indignação com Deus em muitos Salmos. Jeremias, por sua vez, acusou o Senhor de enganá-lo e de abandoná-lo. Jonas, de sua parte, irritou-se com Deus por ter perdoado os ninivitas (cf. Jn 4, 1-3), enquanto Habacuque se queixou em razão da violência e da impunidade que via ao seu redor (cf. Hab 1, 1-2.13).

Entre tantos outros, quero me deter em Jacó, homem que vivia em conflito e, literalmente, "saiu no braço com Deus". Ele nasceu agarrado ao calcanhar do irmão gêmeo Esaú, como se quisesse sair primeiro do ventre de sua mãe Rebeca. Cresceu sendo astuto e enganador, aproveitando-se da fraqueza de seu irmão a fim de apossar-se de sua primogenitura e da bênção de seu pai Isaac.

Jacó era um homem que precisava se reconciliar com o irmão Esaú, que jurara matá-lo por causa da bênção roubada, e com o pai Isaac, que ficara decepcionado com sua mentira. E também com Deus, é claro, que parecia distante e silencioso em meio às suas dificuldades.

Ainda com medo de encontrar o irmão, Jacó enviou sua família até ele e aproveitou para passar uma noite sozinho. Foi nesse contexto que teve o encontro mais marcante de sua vida: um homem apareceu e se pôs a lutar com ele até o amanhecer. Não era um homem comum, mas uma manifestação visível de Deus, uma teofania. Era o próprio Deus que viera ao encontro dele.

Jacó lutou com Deus como nunca havia lutado antes. Usou toda a sua energia e resistência, sem desistir ou recuar. Percebeu que aquele homem não era um adversário qualquer, mas alguém especial e poderoso. Sentiu a dor quando o homem tocou na articulação da sua coxa, deslocando-a, mas não o largou e exigiu uma bênção.

Jacó saiu daquela luta transformado, mancando, porém abençoado. O homem mudou o nome de Jacó para Israel, que significa "aquele que luta com Deus". Ele estava consciente de que estivera com Deus face a face e de que a sua vida havia sido poupada. Jacó foi um homem que brigou com Deus, mas que sobretudo O amou, recebendo d'Ele o cumprimento da promessa, e por isso dedicou-se totalmente ao Senhor.

Esses exemplos nos mostram que brigar com Deus pode ser uma forma de ser honesto, de abrir o nosso coração, de buscar o Seu favor, de entender o Seu propósito, de fortalecer a nossa fé e de mudar de atitude. Brigar com Deus pode ser uma forma de expressar o nosso amor — só brigamos com quem nos importamos — e de reconhecer a Sua soberania e a Sua autoridade sobre nós. Nesse sentido, rebelar-se em alguma medida pode ser uma oportunidade para crescer no nosso relacionamento com Deus, se isso for feito com sinceridade, reverência e arrependimento.

Por outro lado, brigar com Deus também pode ter consequências negativas, caso esse embate não seja feito com respeito, humildade e disposição para ouvir a Sua voz. Se for acompanhado de amargura, rancor, ou baseado em mentiras, preconceitos ou em idolatria, pode nos cegar e nos machucar. Uma conduta rebelde motivada por orgulho ou incredulidade, marcada por atitudes de arrogância, desdém e resistência, pode nos afastar de Deus, tornando-se um obstáculo a mais para desfrutarmos da Sua graça.

Por isso, antes de brigar com Deus, é preciso examinar o nosso coração e as nossas motivações. É preciso lembrar que Deus é amoroso, sábio, fiel, que Ele tem um plano perfeito para a nossa vida. É preciso confiar que Deus sabe o que faz, pois tem o controle de todas as coisas. É preciso esperar o tempo de Deus, que não é igual ao nosso; às vezes, as respostas não vêm com a rapidez que desejamos nem da forma esperada.

É preciso aceitar que Deus é Deus: Ele é o Pai misericordioso, sabe o que é melhor para nós, pois somos Seus filhos e filhas. Que possamos nos comportar com Deus como filhos que amam o Pai, e não como inimigos que não conhecem o seu Senhor.

NÃO SE CALE

Cada pessoa tem uma experiência pessoal e única com Deus e pode reagir de formas diferentes diante dos desafios da vida. Às vezes, choramos, reclamamos sem entender Seus caminhos e Seus planos e, assim, duvidamos e desobedecemos. Muitas vezes não confiamos na Sua graça, na Sua promessa. Mas, mesmo assim e sempre, Deus nos ama. Ele nos escuta, nos consola e nos corrige como Pai zeloso. Com paciência nos espera, nos fortalece, nos protege e nos perdoa.

O importante é não perder a esperança e o amor, buscar sempre o diálogo e a reconciliação com Deus.

Algumas pessoas podem brigar com Deus por causa de situações traumáticas, injustas ou dolorosas que vivenciam ou testemunham, como a morte de um ente querido. O grande poeta e sacerdote padre Zezinho, com uma sensibilidade perspicaz, compôs uma canção que se chama justamente "Brigar com Deus". A letra expressa a dor, a dúvida, a revolta e a reconciliação de alguém que sofreu uma perda repentina e sem sentido. Preste bem atenção nestas palavras:

Esta canção é para os pais que já perderam um filho
E, por isso, brigaram com Deus
Eu não tenho respostas prontas para essa dor!
Há feridas que não se curam com pomadas
Mas com o tempo
Para eles, que continuam zangados com Deus
Esta canção!

Admito que eu já duvidei
Depois daquela morte repentina num farol
Depois que dos meus olhos Deus levou a luz do sol
Depois daquela perda sem aviso e sem sentido
Admito que eu já duvidei

Admito que eu briguei com Deus porque não respondeu
Quando eu Lhe perguntei por quê
Ele, que tudo sabe, tudo pode, tudo vê
Parece que não viu, nem me escutou lá no hospital
Admito que eu fiquei de mal!

Doeu demais e, quando dói do jeito que doeu,
A gente chora, grita e urra, e põe para fora aquela dor
E desafia o Criador e quem se mete a defendê-Lo
Comigo não foi diferente do que foi com tanta gente
Que perdeu algum amor

Briguei com Deus, briguei com Deus
E se eu briguei foi por saber que Deus ouvia

Admito que eu me revoltei
Onde é que estava Deus com Seu imenso amor?

Se Deus é amoroso, então por que deixou?
Por que tinha que ser do jeito que foi?
Admito que eu O desafiei

Admito que eu O desafiei
Por não achar sentido no que Deus me fez
E nem me perguntei por que será que o fez
Briguei com Quem levara alguém que eu tanto amei!
Admito que eu já blasfemei

Doeu demais, e, quando dói do jeito que doeu,
A gente chora e grita e urra e põe para fora aquela dor
E desafia o Criador e quem se mete a defendê-Lo
Comigo não foi diferente do que foi com tanta gente
Que perdeu algum amor

Briguei com Deus, briguei com Deus
Briguei com Deus, mas acabei no colo d'Ele
Admito que voltei pra Deus
E até nem sei dizer por que foi que voltei
Eu acho que voltei porque não me calei
Voltei porque, talvez, não sei viver sem crer
Admito que voltei para Deus

Admito que ainda creio em Deus
Mas tenho mil perguntas a doer em mim
Eu tenho mil perguntas para Lhe fazer
Espero que Ele um dia queira responder!

Ele sabe o que é que eu penso d'Ele

Palavras impactantes, não é mesmo? Chama minha atenção: "Eu acho que voltei porque não me calei." Muitas pessoas que se calam e se fecham na dor deixam de buscar Deus, nem que seja para brigar. Não procuram reconhecer nem expressar suas emoções, e isso causa uma ferida na alma que pode levá-la à morte interior.

Não adianta negar ou reprimir o que sentimos. A dor precisa ser vivida, sentida, compartilhada. Precisamos chorar, desabafar, falar sobre a pessoa que se foi, sobre o que ela significava para nós; e quem melhor para nos ouvir do que Deus?

Mas... Deus responde?

Como diz a letra da canção, esperamos que um dia Ele queira responder.

Não podemos nos esquecer do que Deus, por intermédio do livro sagrado do Eclesiástico, nos aconselha: "Chore e lamente a morte de uma pessoa durante o tempo que for costume; depois disso, anime-se e pare de sofrer. Pois ficar triste demais pode prejudicar você; a tristeza pode acabar com a sua saúde. A morte é o destino de todos nós; por isso, chore pelos mortos como se deve, mas não se esqueça de que ele não voltará mais. Não adianta nada ficar sofrendo. Não deixe que a tristeza tome conta de você; afaste-a e lembre-se do seu fim. Não se esqueça disso: não há volta. Você não está fazendo nenhum bem ao morto e está prejudicando a si mesmo. Lembre-se da minha ordem: não fique triste demais; anime-se! Pois a tristeza levou à morte muita gente boa; não há nada que se ganhe com ela. A inveja e a raiva diminuem a vida das pessoas, e a preocupação faz com que elas envelheçam antes do tempo" (Eclo 38, 16-23).

Essa passagem reconhece a dor da perda, mas também incentiva a aceitação e a superação. Ela mostra que a morte faz parte da vida e que devemos confiar em Deus, que é o Senhor da vida e da morte.

Quando temos de retirar o curativo feito para proteger uma ferida, a dor é inevitável. Se o puxarmos de uma só vez, pode até parecer enlouquecedor na hora, contudo logo a dor é aliviada. Por outro lado, quanto mais demorarmos para retirá-lo, maior será o sofrimento. Assim também ocorre quando a pessoa fica imersa na perda sofrida e não consegue retomar a vida com a aceitação necessária para seguir em frente.

Conheci uma mulher que perdeu o filho adolescente num atropelamento. O motorista estava embriagado e não parou para prestar assistência. Depois de arrastar o jovem por alguns metros, ele fugiu, deixando-o agonizando no meio da rua. Ela foi avisada por vizinhos e ainda chegou a tempo de segurar a cabeça do filho no colo, acompanhando seus últimos suspiros. No enterro, ela chorava, mas consolava a família. Foi comovente ver como se abraçavam e passavam força uns para os outros, sem muitas palavras. Dois dias depois do sepultamento do filho, essa mulher já estava na paróquia ajudando, participando das celebrações e agradecendo a Deus por ter concedido a graça de ter segurado o filho nos seus últimos instantes, para que não morresse sozinho, mas com ela o amparando.

Lembro-me claramente de que aquela atitude despertou comentários de reprovação: "Que mãe é essa que parece não ter sentido a morte do filho?" As más línguas de plantão começaram a especular por que ela não estava desesperada e revoltada. Não conseguiam aceitar o comportamento resiliente dela, que procurava rezar e ajudar o próximo em vez de tentar incriminar ou se vingar do motorista assassino do filho, pois a família sabia quem era ele e onde morava. Mas a mulher se manteve firme: "Nada vai trazer meu filho de volta. A vingança não vai! O desespero não vai! Deus me deu, Deus o levou. O que me consola é acreditar que ele está com Deus."

Com o tempo, as pessoas mais próximas perceberam um maior recolhimento dessa mãe enlutada quando se aproximavam as datas que marcavam os meses e os anos da morte do filho. Ela se tornava mais contemplativa e orante nesses períodos. Sentia falta, mas nunca revolta. De fato, ela amava muito o filho que perdera; chegou a compartilhar conosco algumas de suas preferências em vida — o que gostava de comer e de fazer —, mas confidenciou que passara a evitar tudo o que trouxesse de volta essas lembranças.

Conto esse fato porque observei que a maioria de nós tem um padrão pré-concebido de como se comportar diante da morte. Como aquela mãe não seguiu esse padrão, gerou estranheza e dúvidas sobre o seu amor e o seu sofrimento.

Cada um sabe de que forma a dor aperta e como faz para enfrentá-la. Ela guardou viva a memória do seu menino, mas escolheu superar o pesar na fé em Deus e na esperança da vida eterna conquistada por Jesus.

COMO ATRAVESSAR A DOR CAUSADA PELA VISÃO DISTORCIDA DA RELAÇÃO COM DEUS

A palavra-chave é "discernimento" — um discernimento que é dom sobrenatural e nos ajuda a reconhecer a vontade de Deus na nossa vida. O Papa diz que o discernimento não é uma questão de buscar o que mais nos agrada ou nos beneficia, mas de cumprir a missão que nos foi confiada no Batismo. Ele também afirma que o discernimento requer uma atitude de escuta e de abertura ao Espírito Santo, que nos ilumina com a sua graça (cf. *Gaudete et exsultate*, n. 175).

Muitas pessoas, e não é exagero meu, têm uma visão de Deus como um "juiz severo", um ser distante e indiferente ao sofrimento humano que apenas espera por um erro nosso para nos punir. Essa visão distorcida pode ter origem em ensinamentos errados e ameaçadores, em experiências traumáticas, em sentimentos de culpa e, como sempre chamo a atenção, em atitudes de crueldade e desamor de pais e mães, que levam os filhos a associarem essas condutas ao Pai misericordioso. Uma imagem errada de Deus também pode se formar por influências mundanas. O império da razão e do cientificismo, muitas vezes, tende a negar a existência de Deus ou a reduzi-Lo a um conceito abstrato e irrelevante.

Essa visão pode gerar medo, angústia e revolta, além de ser contrária à verdadeira natureza de Deus, que se constitui unicamente de amor e de misericórdia. Ele jamais se alegra ou contribui com as nossas quedas e o nosso sofrimento; e, se ocorrem, Ele sempre Se compadece de nós.

Deus nos ama com um amor eterno, incondicional e sacrificial e de tal modo que enviou o Seu Filho, Jesus Cristo, para morrer na Cruz por nós, a fim de nos dar a vida eterna que havíamos perdido graças ao pecado de Adão e Eva.

Outra visão errada se difunde quando criamos uma imagem de Deus "adaptada" aos nossos desejos e necessidades. Não raro, projetamos n'Ele nossas expectativas, medos, culpas e frustrações. Criamos uma imagem de Deus que se coaduna às nossas demandas, mas não corresponde à realidade. Não podemos manipular Deus; ao contrário, essa atitude maliciosa pode nos afastar d'Ele, pois nos impede de conhecê-Lo como realmente é, ou seja, como o transcendente, o santo, o perfeito, o amoroso.

Podemos corrigir essa imagem distorcida de Deus com base nas Sagradas Escrituras e no magistério da Igreja. Todas as respostas estão na Revelação de Deus, da qual a Igreja é depositária e que se desdobra ao longo da história por meio da Sua Criação, da Sua Palavra e do Seu Espírito. E a maior Revelação de Deus nos veio com Seu Filho, Jesus Cristo. "Ele é a imagem do Deus invisível, o Primogênito de toda a Criação" (Cl 1, 15). É o resplendor da glória de Deus e a expressão exata do seu ser (cf. Hb 1,3). Ele é o caminho, a verdade e a vida (cf. Jo 14, 6).

Se queremos conhecer Deus, precisamos conhecer Jesus, o que só é possível se tivermos um relacionamento pessoal com Ele, com sua Humanidade santíssima. Não se trata apenas de saber informações sobre Nosso Senhor, mas de experimentar o Seu amor, a Sua amizade e o Seu poder. Também significa amá-Lo de todo coração, o que inclui a nossa mente e a nossa alma, e segui-Lo como Seus discípulos missionários, testemunhando esse amor em gestos e ações.

De forma mais pragmática, indico aqui algumas ações concretas para curar a visão distorcida da relação com Deus:

* Creia no Deus de Jesus Cristo, que é Seu Pai e nos "autorizou" a chamá-Lo de Pai. Ele nos fez coerdeiros da graça, e por meio d'Ele temos parte na herança que Deus preparou para os Seus filhos. Esse Pai Misericordioso foi apresentado por Jesus na parábola do filho pródigo (cf. Lc 15, 11-32). Ele nos conhece e tem a palavra certa para aquilo que estamos vivendo. Sim: Deus sabe o que precisamos

para nos corrigir ou para nos abraçar, mas, seja o que for, Ele quer nos ter em casa, porque o sonho do Pai é ver os filhos bem.

* "Nutra-se" de Deus e da Sua Palavra, com a leitura constante e a prática da leitura orante. Isso nos mantém no caminho de fé. "Mas, Padre, eu não entendo!", alguns me dizem. Leia mesmo assim, porque, quando o Espírito Santo age, tudo se esclarece.

* Busque a presença de Deus pela oração. Por que precisamos rezar? Para não fraquejarmos na fé. Se queremos manter acesa a chama da fé, precisamos do combustível da oração. Se você se sente num deserto, diga "Amém", pois o próximo passo é a Terra Prometida. No Antigo Testamento, o deserto vem antes da Terra Prometida, e a vida segue essa lógica. Se não praticarmos a oração diária e constante, a fé "esfria", assim como ocorre com o amor romântico quando não é repetitivamente alimentado por palavras e gestos de carinho e cuidado. Ao rezarmos, nos aproximamos de Deus e alimentamos o Seu amor. São João Bosco dizia: "Quem não reza não se salva." Cultive a sua oração pessoal, pois isso cria intimidade com Deus. Porém, não se deve substituir a oração comunitária. São João Crisóstomo, que viveu nos séculos IV e V, foi um dos maiores pregadores da Igreja. Chamado de "boca de ouro" por sua eloquência e sabedoria, ele disse: "Se, de fato, podes rezar em casa, não podes rezar do mesmo modo que na igreja... Efetivamente, os sacerdotes presidem, a fim de que as orações do povo, mais fracas, unidas às deles, mais fortes, simultaneamente se elevem para o céu."

* Portanto, devemos cultivar uma vida de oração constante, tanto em nossa casa como na igreja, sem esquecer-

mos que esta é o lugar privilegiado do encontro com Deus, dado na Santa Missa.

* Volte-se ao Jesus Cristo do Evangelho. Para curar nossa relação com Deus e ter vida plena, é preciso crer em Jesus Cristo, que foi obediente até a morte na Cruz. Ele não duvidou do amor de Deus nem durante a Sua agonia e fez escolhas que revelaram esse amor, mesmo diante das provações e dificuldades da vida. Esse é o Jesus do Evangelho, e somos convidados a seguir o Seu estilo: o de abandonar-se nas mãos de Deus. Ele disse: "Pai, afasta de mim este cálice, minha alma está numa tristeza mortal. Mas, Pai, não foi para isso que eu vim?" Esse momento de agonia de Jesus foi tão significativo que os evangelistas o registraram na Bíblia: "Seja feita a tua vontade", disse (cf. Mt 26, 38-39). E, nisso, imitou-O Nossa Senhora. Mesmo sem saber como se daria a concepção, ela respondeu ao Mensageiro: "Sim! Eis aqui a serva do Senhor, faça-se em mim a vossa vontade." (Lc 1, 38). Quem é devoto de Nossa Senhora deve imitar o seu estilo, sem reservas.

* Siga na vida sacramental e não abandone a Confissão. Tem padre que não se confessa, e católico leigo também. A confissão é o melhor remédio para tirar nossas manchas e aflorar nossa responsabilidade. Beba da fonte de água que brota do peito de Cristo pela Confissão e pela Eucaristia.

* Participe da Missa, cujos ritos expressam nossa fé e fortalecem a espiritualidade.

* Confie no amor e na graça de Deus. Às vezes podemos achar que não somos dignos do Seu amor ou que Ele está decepcionado conosco, mas Deus sempre se importa conosco e nunca nos abandona.

* Viva em tudo a docilidade ao Espírito Santo, que nos concede o entendimento espiritual e nos orienta a realizar a vontade de Deus.

Encerro este capítulo com um belíssimo texto que expressa o entendimento alcançado no relacionamento com Deus:

Aqueles que temem o Senhor viverão, pois confiam n'Aquele que os pode salvar. Os que temem o Senhor não são medrosos nem covardes, pois eles põem a sua confiança n'Ele. Felizes são aqueles que temem o Senhor!
Eles sabem em quem podem confiar e quem os ajudará. O Senhor protege aqueles que O amam.
Ele é para eles um forte escudo e uma poderosa fortaleza.
Ele os protege do vento do deserto e do calor do meio-dia.
Ele os ajuda e não deixa que tropecem nem caiam.
Ele lhes dá novas forças, fazendo com que se sintam bem.
Ele lhes dá saúde, vida e bênçãos (Eclo 34, 14-20).

ORAÇÃO PELA CURA DA RELAÇÃO COM DEUS

Pai de amor e de bondade,
eu Te louvo e Te agradeço por me terdes criado
à Tua imagem e semelhança
e por me chamar a ser Teu filho.
Perdoa-me, Senhor, pelas vezes em que duvidei do Teu amor
e projetei em Ti as minhas feridas e os meus medos.
Cura-me, Senhor, das falsas imagens que faço de Ti
e que me impedem de Te conhecer como és.
Liberta-me, Senhor, dos enganos
e das mentiras do Inimigo,
que quer me afastar de Ti
e me fazer perder a esperança.
Que eu consiga ver, Senhor, Teu verdadeiro rosto:
o rosto de um Pai misericordioso e compassivo,
que se alegra com os meus acertos
e perdoa os meus erros;
que me acompanha nos sofrimentos
e me consola nas angústias;
que desafia meus limites
e me capacita nas minhas virtudes.
Sei que Tu me amas incondicionalmente e me quer feliz.
Renova em mim, Senhor, a fé,

*para que eu possa Te amar com todo o meu ser
e refletir o Teu amor na minha vida.
Amém.*

· · · · · · · · · ·

Escaneie com a câmera do celular o QR Code a seguir e reze com o Padre Manzotti:

CURA DA VISÃO DISTORCIDA DA RELAÇÃO COM DEUS

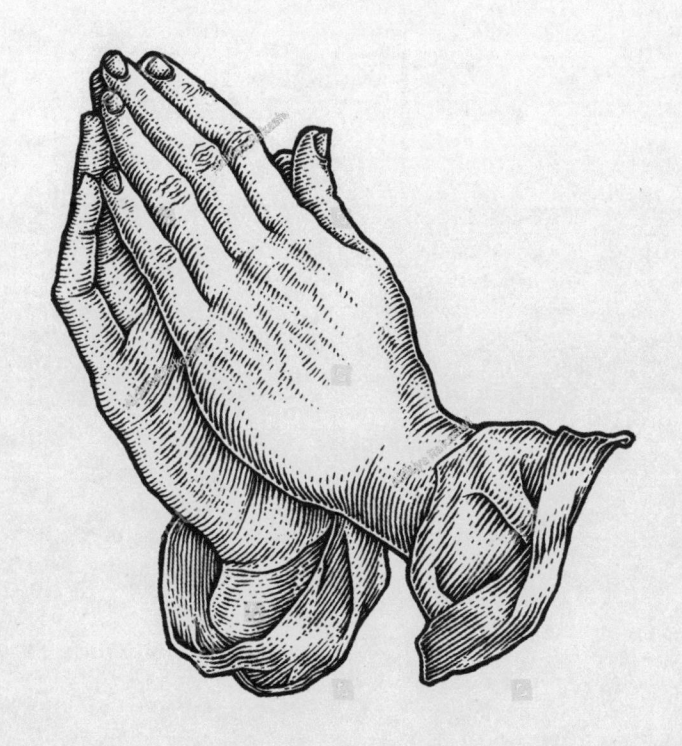

{11}
VALORES CURATIVOS DE JESUS

Chamamos de valores curativos de Jesus os princípios que Ele ensinou e praticou para promover a saúde física, mental e espiritual das pessoas.

Antes, porém, quando se trata dos ensinamentos e das atitudes de Nosso Senhor Jesus Cristo, cabe sempre refletirmos: por que Jesus morreu na Cruz?

Ele não foi assassinado, pois, se fosse, não haveria expiação. Entregou-se voluntariamente, deixando evidente o amor que tinha por nós, mediante a virtude da obediência: primeiramente ao Pai e, por conseguinte, aos valores morais e éticos que somos chamados a seguir. Esses valores são a base de formação para todo discípulo.

Hoje, como em outros períodos da história da humanidade, nós nos deparamos com cenários de violência, disputas entre nações, guerras descabidas. Mas chama a atenção um acirramento de posições dentro do seio familiar como nunca antes visto. É surpreendente tomar conhecimento de casos de parentes que "viraram a cara" e romperam relações por causa de divergências políticas, por exemplo.

Diante disso, nós nos perguntamos: onde foi que nos perdemos do Caminho?

Perceba que a palavra "Caminho" está grafada em maiúscula, e não por acaso. Esse Caminho a que me refiro é Jesus. Sem valores e sem Jesus, nós não sabemos mais para onde vamos.

Sei que não é nada fácil a tarefa de educar filhos nos dias de hoje. Parece que a liberdade de dizer e fazer o que quiser tornou-se direito intocável, ao mesmo tempo que as pessoas desenvolveram uma ojeriza implacável à palavra "obediência". Mas o que há de errado em obedecer regras, ordenamentos, princípios, valores? Não é assim que caminham e evoluem as sociedades e os sistemas de governo civilizados e democráticos?

Obedecer faz parte da nossa vida mundana e espiritual. Maria e Jesus foram obedientes o tempo todo! Ele mesmo ressalta o valor da obediência: "A pessoa que me ama obedecerá à minha mensagem, e o meu Pai a amará. E o meu Pai e eu viremos viver com ela" (Jo 14, 23).

A busca da liberdade acima de tudo faz com que todos os outros valores sejam questionáveis e questionados. Mas, atenção: Jesus teve valores morais e éticos sólidos; portanto, todos nós, cristãos, também somos chamados a tê-los. Ademais, eles são curativos, pois é justamente por meio da vivência desses valores que Jesus cura as nossas feridas.

Quando não somos coerentes com os valores de Jesus Cristo, sentimos culpa e remorso, ao passo que, ao direcionarmos a nossa vida segundo esses princípios, nós nos libertamos. Afinal, os valores de Jesus Cristo são precisamente aqueles que nos levam à realização plena.

Infelizmente, há nos tempos atuais um senso comum de que seguir Jesus limita a felicidade, a alegria, porque não se poderia ter acesso aos prazeres da vida. Ledo engano! Não seguir Jesus pode até parecer libertador aos olhos dos ingênuos, mas não passa de um passaporte para sermos escravizados por algo que irá preencher essa falta. E com o carimbo do Inimigo!

Nossa alma tem sede de Deus, do Alto, daquilo que nos enleva; e não dar vazão a essa natureza é caminho líquido e certo para a queda e a escravidão. Demonizados pelos defensores das "liberdades" modernas, os valores morais são mecanismos de defesa contra os malefícios do mundo que nos rondam o tempo todo, permitindo que cresçamos em dignidade e sejamos conduzidos a um Bem maior. Esse Bem é Jesus Cristo.

Muitas vezes um estado de apatia, desinteresse e tristeza pode afetar a nossa vida espiritual e pastoral. O Papa Francisco nos diz sobre as causas, os sintomas e os remédios para essa doença que pode nos impedir de viver a alegria e a esperança do Evangelho: "E continuamente aparecem também novas dificuldades, a experiência do fracasso, as mesquinhices humanas que tanto ferem. Todos sabemos, por experiência, que às vezes uma tarefa não nos dá as satisfações que desejaríamos, os frutos são escassos e as mudanças são lentas, e vem-nos a tentação de se dar por cansado. Todavia, não é a mesma coisa quando alguém, por cansaço, baixa momentaneamente os braços e quando os baixa definitivamente, dominado por um descontentamento crônico, por uma acídia que lhe mirra a alma. Pode acontecer que o coração se canse de lutar, porque, em última análise, se busca a si mesmo num carreirismo sedento de reconhecimentos, aplausos, prêmios, promoções; então a pessoa não baixa os braços, mas já não tem garra, carece de ressurreição. Assim, o Evangelho, que é a mensagem mais bela que há neste mundo, fica sepultado sob muitas desculpas" (*Evangelii gaudium*, n. 277).

SIGA JESUS E SE DEIXE VIVER

Delírios de liberdade e autossuficiência à parte, sempre faço questão de lembrar que nenhum de nós tem o controle absoluto sobre a própria vida. Nesse sentido, devemos estar atentos ao que nos ensina o Provérbio: "As pessoas podem fazer seus planos, porém é o Senhor Deus quem dá a última palavra" (Pr 16, 1).

Então por que nos estressamos tanto?

Isso só nos deixa ansiosos! Ficamos carecas, cheios de coceira, de alergia pelo corpo, e por aí vai...

Por que não confiar mais em Deus?

Esse homem que somos convidados a seguir, Jesus, mostrou-nos como fazer: Ele apenas Se entregou à vontade do Pai. Por outro lado, sabia muito bem onde estava pisando. Tinha valores sólidos como uma rocha.

Aprendamos com Ele!

Onde não há valores nem Jesus, o mal impera, a discórdia se propaga... Basta observar as famílias que se autodestroem por um punhado de dinheiro. Da mesma forma, uma paróquia ou qualquer outra instituição se esfacela quando seus integrantes não seguem princípios e valores bem definidos.

O complicado nessa história é que a decisão de seguir ou não os valores recai unicamente sobre cada um de nós, ou seja, Deus não nos obriga a segui-los. Ele não nos impõe, pois se trata de uma escolha. Desde que nascemos, somos chamados a escolher e praticar os valores de Jesus Cristo.

Nós nunca vamos a um médico só para receber um diagnóstico. Vamos para obter a cura. E a cura está no seguimento de Jesus e na vivência dos Seus valores. Fazer isso não é fácil. Ele mesmo disse aos que queriam segui-Lo que a primeira condição para isso consistia em renunciar a si mesmo e tomar a cruz de cada dia (cf. Lc 9, 23).

Sejamos didáticos. Num primeiro momento vem a decisão: "Eu quero seguir Jesus, doa a quem doer, passe o que passar." No segundo momento vem a renúncia de si mesmo: isso significa renunciar ao que não presta, aos lixos emocionais, aos apegos e carências equivocados. E, por fim, devemos tomar a nossa cruz de cada dia.

Lucas foi o único evangelista a mencionar diretamente a "cruz de cada dia" em seu relato do chamado de Jesus ao discipulado, justamente para enfatizar a necessidade de uma renúncia constante e diária de si mesmo para seguir Jesus. Para isso, devemos pedir que o Senhor nos livre da tentação e nos ajude a lutar contra ela.

Outro trecho do Evangelho de Lucas que chama a atenção e, muitas vezes, passa despercebido diz: "De que adianta ao homem ganhar o mundo inteiro e destruir a si mesmo?" (Lc 9, 25). Trazendo para o nosso cotidiano: de que adianta eu ser um padre de projeção no meio católico se eu me autodestruir com isso?

Se Jesus alerta, de fato é possível que uma pessoa se autodestrua. Vejamos o que ocorreu com Adão. Ele se destruiu, perdeu o Éden, o Paraíso e a maravilhosa oportunidade de passear com Deus todas as tardes, pois caiu na tentação do Inimigo. Ele se aniquilou.

Se não tomarmos cuidado, podemos, sim, nos destruir. Podemos fazê-lo ao seguirmos pelo caminho do erro e pela própria recusa aos valores de Jesus, porque somente Ele dá a vida — e a dá em abundância.

Que cristãos somos nós se não aprendemos qual modelo de vida devemos seguir?

Não existem outros modelos, com virtudes e valores que devamos cultivar, senão o de Jesus Cristo. Por isso, devemos criar um vínculo maior com Ele. O que o mundo oferece é passageiro, ilusório e insatisfatório. O que Deus oferece é eterno, verdadeiro, pleno e curativo.

COMO ATRAVESSAR AS DORES DA ALMA E SER TOCADO PELA CURA DE JESUS

O Papa Francisco nos fala sobre a importância de sair de si mesmo para se unir aos outros, superando a suspeita, a desconfiança e o medo de ser invadido. Ele afirma que o ideal cristão convida a uma abertura ao próximo, que é fonte de alegria e de comunhão. Também critica o mundanismo espiritual, que se fecha em si mesmo e se torna egoísta e violento (cf. *Evangelii gaudium*, n. 88).

O amor a Deus deve estar acima de tudo, pois, quando O amamos, cumprimos a vocação da existência humana. Deus nos criou para o amor d'Ele. O primeiro e grande mandamento é amar a Deus, e o segundo, amar o próximo como a nós mesmos. São Paulo recomenda: "E, acima de tudo, tenham amor, pois o amor une perfeitamente todas as coisas" (Cl 3, 14). Portanto, o maior bem moral de um cristão é amar. Se não há amor dentro de nós, não somos discípulos de Jesus.

O amor deve ser seguido como uma bússola norteadora, pois ele gera outros valores, como nos ensinam as Sagradas Escrituras:

Justiça. Este é um dos valores mais importantes que Jesus Cristo nos ensinou. Disse ele: "Bem-aventurados os que têm fome e sede de justiça, porque serão saciados" (Mt 5, 6). "Buscai primeiro o Reino de Deus e a sua justiça, e todas estas coisas vos serão acrescentadas" (Mt 6, 33).

Mas o que significa ser justo aos olhos de Deus?

De pronto, posso dizer que não é a justiça humana, que muitas vezes retribui o mal com o mal, estimulando a punição e a vingança. A justiça de Jesus busca restaurar o bem com o bem. Condena o pecado, mas acolhe o pecador. Aos olhos de Deus, ser justo não é apenas evitar o mal, mas principalmente promover o bem. A justiça de Jesus é curativa, porque não se impõe à força, mas baseia-se no amor e se manifesta na misericórdia, na compaixão, na generosidade, na solidariedade, na paz e na reconciliação.

Honestidade. Jesus foi sincero, transparente e fiel em tudo o que disse e fez. Ele nos ensinou: "Seja o seu 'sim', 'sim', e o seu 'não', 'não'; o que passar disso vem do Maligno" (Mt 5, 37). Enganar, trapacear, roubar e corromper são tentações do Maligno, e a honestidade é o valor de Jesus para combatê-las. A base de todos esses malfeitos é a mentira, que, como sabemos, tem como pai o próprio Diabo, assassino e mentiroso (cf. Jo 8, 44).

A honestidade também é um valor curativo, pois nos liberta da culpa, do medo, da vergonha e da angústia que a mentira provoca. Ser honesto nos aproxima do Senhor, que é a fonte de toda cura e nos permite reconhecer nossos erros, pedir perdão, reparar o dano e mudar de atitude. São Paulo aconselha como os cristãos devem viver de acordo com a nova vida que receberam em Cristo: "Quem roubava não roube mais, comece a trabalhar a fim de viver honestamente e poder ajudar os pobres" (Ef 4, 28).

Bondade. Jesus passou pelo mundo fazendo o bem e mostrou que a bondade é uma forma de curar as feridas do coração, pois, quando somos bondosos com aqueles que nos fizeram mal, rompemos o ciclo da violência e da mágoa, promovendo o perdão e a paz. "Desejem o bem para aqueles que os amaldiçoam e orem em favor daqueles que maltratam vocês" (Lc 6, 28).

Jesus foi bondoso até o fim. Mesmo pregado na Cruz, teve um gesto de bondade com o ladrão arrependido, garantindo a ele o Paraíso e a salvação.

Generosidade. Trata-se de um valor de cura pois nos liberta do egoísmo, da avareza e da indiferença. Isso nos faz mais altruístas e nos permite compartilhar o que somos e temos com os outros. Jesus demonstrou como deve ser a generosidade desinteressada que supera as barreiras do preconceito e da indiferença para socorrer o próximo: "Mas um samaritano que estava viajando por aquele caminho chegou até ali. Quando viu o homem, ficou com muita pena dele. Então, chegou perto dele, limpou os seus ferimentos com azeite e vinho e, em seguida, os enfaixou. Depois disso, o samaritano colocou-o no seu próprio animal e o levou para uma pensão, onde cuidou dele. No dia seguinte, entregou duas moedas de prata ao dono da pensão, dizendo: 'Tome conta dele. Quando eu passar por aqui na volta, pagarei o que você gastar a mais'" (Lc 10, 33-35).

O nosso próximo é todo aquele que Deus coloca em nosso caminho: familiar ou estranho, amigo ou inimigo, semelhante ou diferente.

Jesus é o Bom Samaritano que nos ensina a abrir as mãos e o coração, para nos doarmos sem medo e sem medida.

Respeito. Como já citei, Jesus nos deu uma Regra de Ouro: "Façam aos outros o que querem que eles façam a vocês" (Mt 7, 12a). Esse é também um princípio moral universal. Alguns filósofos, ao longo da história, defenderam essa regra como princípio fundamental para a boa convivência social. Basicamente, se não quero ser desprezado, não devo desprezar. Se não quero ser humilhado, não devo humilhar. Se não quero ser tratado com grosseria, não devo ser grosseiro. Se não quero ser discriminado, não devo discriminar. Se não quero ser traído, não devo trair. Acima de tudo, se quero ser respeitado, devo respeitar, e por aí vai, sempre nos colocando no lugar do outro. Creio que o primeiro ambiente no qual devemos aplicar essa regra é dentro de casa, com a família, pois é nesse meio que tendemos a ser mais desrespeitosos e rudes com aqueles que deveríamos amar. Ao enfatizar o respeito, Jesus sublinha a dignidade de todos, levando-nos a atentar para o modo como tratamos o próximo e a arrepender-nos de nossas faltas contra ele. Tem, portanto, um poder curativo e transformador.

Perdão. Este é, por excelência, o bálsamo que cura. Liberta-nos do ressentimento, da mágoa, da culpa e da vergonha que nos afastam de Deus. O perdão nos cura das feridas emocionais e espirituais causadas pelo pecado, pelas ofensas que recebemos e pelas injustiças que sofremos. Jesus nos ensina que o perdão é um ato de amor, de humildade e de coragem: "Perdoai-vos uns aos outros" (Mt 6, 14-17). Assim, reconciliados com Deus e com os irmãos, podemos participar da Sua vida e da Sua glória.

Humildade. Por meio dessa virtude, reconhecemos nossa dependência em relação a Deus. A humildade nos liberta do orgulho, da vaidade e da soberba, armadilhas nas quais caímos e nos fazem acreditar sermos melhores que os outros e o centro do universo. Foi um pedido do próprio Jesus para que aprendêssemos com Ele o valor curativo da humildade: "Aprendei de mim, que sou manso e humilde de coração" (Mt 11, 29). Durante toda a Sua vida terrena, Jesus mostrou o valor desta virtude: Ele nasceu em uma estrebaria, Seu berço foi uma manjedoura, viveu como um carpinteiro, andou com os pobres, marginalizados, doentes e pecadores. Como ressaltou São Paulo: "E, vivendo a vida comum de um ser humano, ele foi humilde e obedeceu a Deus até a morte — morte de cruz" (Fl 2, 7-8).

Em tudo o que fez, nunca buscou a própria glória, mas a glória de Deus. Que possamos aprender com Jesus, que é manso e humilde de coração.

Paciência. Vivemos ansiosos, acelerados e precisamos desse valor de cura. A paciência nos permite escolher o melhor momento para agir e nos dá tempo para escutar Deus. Quem se precipita erra mais, já os que têm paciência realizam objetivos e sonhos. Com paciência, serenidade e esperança, conseguimos enfrentar as dificuldades da vida. "E também nos alegramos nos sofrimentos, pois sabemos que os sofrimentos produzem a paciência, a paciência traz a aprovação de Deus e essa aprovação cria a esperança. Essa esperança não nos deixa decepcionados, pois Deus derramou o seu amor no nosso coração, por meio do Espírito Santo que ele nos deu" (Rm 5, 3-5).

Jesus Cristo nos convida a segui-Lo, carregando a nossa cruz com paciência e sabendo que Ele está conosco em todos os momentos. A paciência é um caminho de santidade e de salvação. Jesus nos prometeu que, se formos pacientes na tribulação, receberemos a coroa da vida eterna (cf. Mt 22.13).

A paciência é um fruto do Espírito Santo e um dom de Deus que devemos pedir e cultivar. "Que Deus, que é quem dá paciência e coragem, ajude vocês a viverem bem uns com os outros, seguindo o exemplo de Cristo Jesus!" (Rm 15, 8).

Deus é muito paciente conosco. Ele espera o tempo que for necessário para nossa conversão e nos dá infinitas chances para nos arrependermos, perdoando-nos sempre que pedimos perdão.

Pureza. Todos nós temos o desejo de ser felizes, e essa busca muitas vezes nos leva a cair nas falsas promessas de felicidade que o mundo nos oferece, como prazeres efêmeros, riquezas ilusórias, poder transitório, fama passageira. Nós nos perdemos nesse afã materialista e nos esquecemos do que realmente importa: a vida plena em Jesus Cristo. A pureza é um valor que nos imuniza dessas tentações, tornando-nos capazes de amar de forma sincera e desinteressada. Também cura as feridas da alma, na medida em que elas são causadas pelo pecado ou pelas consequências do pecado no mundo. A pureza é um valor central em nosso crescimento espiritual, pois nos liberta das paixões desordenadas que nos escravizam.

Jesus foi um homem livre porque teve o coração puro. Com isso, mostrou-nos o verdadeiro caminho da felicidade: "Felizes as pessoas que têm o coração puro, porque verão a Deus" (Mt 5, 8).

Fidelidade. Este é um dos valores que Jesus ensinou e vivenciou em Sua missão. Ele foi fiel ao Pai e à Sua vontade, assim como a Seus discípulos, amigos e a todos que O cercavam, até a Sua morte na Cruz. A fidelidade de Jesus deve nos inspirar a sermos fiéis a Deus, a nós mesmos e aos outros, seguindo o Seu exemplo de serviço, humildade e obediência.

Deus é fiel, e Jesus nos ensina: "Quem é fiel nas coisas pequenas também será fiel nas grandes coisas" (Lc 16, 10). Gestos simples encerram em si grandes significados, e por isso a fidelidade em situações aparentemente corriqueiras e banais também é sinal de amor, gratidão e confiança em Deus, bem como um exercício de virtude, disciplina e crescimento espiritual que nos prepara para aqueles momentos de maior complexidade. Nestes momentos, agir com fidelidade é uma prova de caráter, integridade e testemunho cristão, que nos confirma dignos da confiança de Deus e dos homens.

Portanto, sejamos fiéis em todas as situações, pois, assim, estaremos sendo fiéis a Deus e a Nosso Senhor Jesus Cristo.

Esses são alguns dos valores curativos de Jesus, os quais nos mostram que, além de Nosso Senhor querer nos curar, também nos dá as ferramentas para sermos pessoas melhores. É como diz esta passagem: "Eis que faço nova todas as coisas" (Ap 21, 5).

Finalizo recordando o exemplo daqueles a quem Jesus chamou, aqueles que em algum momento foram tocados por Ele, consciente ou inconscientemente, e se tornaram pessoas melhores.

Lembremo-nos de:

* Pedro, que se mostrava raivoso, reativo, violento, mas foi curado por Jesus desses sentimentos. Ele o transformou num Apóstolo cheio de fé e coragem. Pedro foi capaz de testemunhar a Ressurreição de Jesus e de liderar a Igreja nascente. Foi o primeiro Papa.

* João, cujas experiências com o Mestre o marcaram profundamente e o ajudaram a superar a sua ambição e a de seu irmão, expressa pela tentativa de se sentarem ao lado do Senhor num futuro reino terreno. De filho do trovão, tornou-se o Discípulo Amado. De ambicioso pela glória terrena, aprendeu a amar a Glória do Reino.

* Zaqueu, cobrador de impostos e ladrão que, tocado por Jesus, arrependeu-se de seus pecados e decidiu doar metade dos seus bens aos pobres e devolver quatro vezes mais a quem tivesse roubado. Zaqueu acolheu em vida a salvação que entrara em sua casa. De ganancioso tornou-se desapegado, convertido por Jesus.

* Paulo, um dos maiores feitos de cura operado por Jesus. O grande Apóstolo foi curado da ira e da soberba. De perseguidor dos cristãos, tornou-se pregador do

Evangelho. Foi curado da cegueira provocada pelo ódio e passou a ver a luz da graça. Superou o orgulho oriundo dos ditames da lei e da cidadania romanas e aprendeu a humildade da Cruz.

Há muitos outros discípulos que poderiam ser citados, os quais comungam da condição de terem experimentado o toque da cura de Jesus. Insisto: todos os que passaram por Ele e assimilaram os Seus valores alcançaram a cura em alguma área da vida, sem exceções.

E quanto a nós? Em qual área da nossa vida precisamos encontrar Jesus para que Ele nos cure?

Somos criaturas abençoadas, pois o Senhor quer curar-nos!

Sim, Jesus quer me curar para que eu seja um padre melhor e para que quem me lê agora também seja uma pessoa melhor — enquanto esposa, marido, mãe, pai, filho ou filha. Ele quer que nós, como cristãos, construamos um mundo melhor. Então, sigamos sem titubear os valores que Ele viveu e nos ensinou.

Há uma teologia muito simbólica segundo a qual somos chamados a levar as marcas de Jesus em nosso corpo. São Paulo assim a expressou: "Quanto ao resto, ninguém me moleste! Pois eu trago em meu corpo as marcas de Jesus" (Gl 6, 17). Não se trata de marcas na carne, como as manifestadas por São Pio de Pietrelcina, Santa Rita de Cássia, São Francisco e outros. São marcas muito mais profundas: aquelas que carregamos na alma.

Pergunto, então: quais são as marcas de Deus e de Jesus Cristo que devemos trazer em nós?

São as marcas da obediência, da humildade, da misericórdia, as quais ninguém poderá visualizar. Mas Deus as vê, e é isso o que importa. São marcas na alma de quem foi definitivamente curado e conhece a glória de seguir e de ser tocado por Jesus.

Felizes seremos nós por alcançarmos o toque da cura de Cristo!

ORAÇÃO PELO SEGUIMENTO DOS VALORES CURATIVOS DE JESUS

Senhor Jesus, Filho do Deus Vivo,
Tu és o médico dos médicos,
Tu conheces as minhas necessidades,
as minhas dores,
as minhas angústias.
Sabes o que me aflige e o que me impede de viver plenamente.
Toca-me com o Teu poder,
restaura-me com a Tua graça,
liberta-me de todo mal que me oprime.
Ensina-me a viver os Teus valores.
Faz, Senhor, que eu possa experimentar
a Tua cura em todas as dimensões do meu ser:
física, mental e espiritual.
Que eu possa louvar-Te e agradecer-Te por tudo o que fazes por mim.
Que eu possa testemunhar a Tua bondade
e a Tua misericórdia para com todos os que sofrem.
Envolve-me com o Teu amor infinito e me transforma;

*que a Tua luz divina me ilumine e me guie,
que a Tua paz me invada e me console.
Amém.*

· · · · · · · · ·

Escaneie com a câmera do celular o QR Code a seguir e reze com o Padre Manzotti:

CONCLUSÃO

Neste livro-guia, exploramos o tema da cura plena, que é um dom de Deus e nos possibilita cuidar do corpo, da mente e da alma. Vimos aqui que todas essas dimensões do nosso ser encontram-se interligadas e precisam estar em harmonia, para que possamos experimentar a saúde integral e a verdadeira felicidade.

Vimos, ainda, que a cura é um processo que envolve tanto a dimensão física quanto a imaterial. Deus nos criou à Sua imagem e semelhança e deu à Sua Igreja o poder e a autoridade sobre os espíritos imundos que causam doenças e enfermidades. Ainda se vale da medicina, da ciência e dos remédios como instrumentos de Sua Graça e misericórdia. Aprendemos, portanto, como podemos buscar a cura pela fé, pela oração, pelos sacramentos, pelos tratamentos médicos e pela prevenção.

Aprofundamos nosso conhecimento sobre a cura espiritual, que é a restauração da nossa comunhão com Deus, a qual foi rompida pelo pecado. Descobrimos como a cura espiritual nos liberta das amarras do Mal, das feridas da alma, dos traumas do passado, dos medos, da angústia e da depressão. Ela enche a existência humana de sentido, de esperança, de alegria e de paz.

Finalmente, concluímos que devemos buscar a cura plena em todas as áreas da nossa vida, confiando na graça e no poder de Jesus. Ele é o nosso Médico por excelência, que nos ama e nos quer bem. É capaz de fazer muito mais do que pedimos ou pensamos, segundo o seu propósito e a sua vontade.

Sim, nunca é demais reforçar: Jesus *pode* nos curar das nossas feridas emocionais. Ele nos ama incondicionalmente e nos oferece a Sua graça, com perdão e paz. Ele nos convida a confiarmos n'Ele, a entregar-Lhe as nossas dores e a receber o Seu toque de amor. Ensina-nos a perdoarmos a nós mesmos e aos outros, a renovarmos a nossa mente com a sua Palavra e a vivermos em comunhão com Ele e com os nossos irmãos. Jesus promete que nunca nos deixará nem nos abandonará, que estará conosco até o fim dos tempos.

Espero que este livro tenha tocado o seu coração, despertado seu desejo de aproximar-se de Jesus e que continue sendo útil para você.

Sejamos, pois, instrumentos para a cura que Deus quer operar em nós e em todos à nossa volta.

Almas feridas ferem.

Almas curadas curam.

REFERÊNCIAS BIBLIOGRÁFICAS

Bíblia de Jerusalém. São Paulo: Paulus, 2002.

Bíblia Sagrada, Edição Pastoral. São Paulo: Paulus, 2ª Edição, 2005.

Bíblia Sagrada, Nova tradução na linguagem de hoje. São Paulo: Paulinas, 2011.

Catecismo da Igreja Católica: edição típica vaticana. São Paulo: Edições Loyola, 1999.

Francisco. Exortação apostólica pós-sinodal *Amoris Laetitia*, 19 de março de 2016.

Francisco. Exortação apostólica *Evanelii Gaudium*, 24 de novembro de 2013.

Francisco. Carta encíclica *Fratelli tutti*, 3 de outubro de 2020.

Francisco. Exortação apostólica *Gaudete et exsultate*, 19 de março de 2018.

Santo Agostinho, *Confissões*. São Paulo: Companhia das Letras, 2017.

São João da Cruz, *Obras completas*. Petrópolis: Vozes, 2000.

DIREÇÃO EDITORIAL
Daniele Cajueiro

EDITOR RESPONSÁVEL
Hugo Langone

PRODUÇÃO EDITORIAL
Adriana Torres
Laiane Flores
Mariana Lucena

REVISÃO
Juliana Borel

PROJETO GRÁFICO DE MIOLO,
DIAGRAMAÇÃO E CAPA
Anderson Junqueira

Este livro foi impresso em
2024, pela Santa Marta,
para a Petra.